롤모델보다 **레퍼런스**

2

KB085930

롤모델보다 **레퍼런스 2**

좋아하는 것이 일이 될 수 있나요?

이시은·백선호

ginger T project
진저티프로젝트

목차

03 성평등 감수성을 지닌 문화창작자가 되고 싶은
    이시은이 만나다

Sieun's essay   8
Interview 1 연극 <82년생 김지영> 연출 두아인   10
             인터뷰 후기   38
Interview 2 <우리에겐 언어가 필요하다> 작가 이민경   40
             인터뷰 후기   64

04 예술산업 세계가 궁금한
    백선호가 만나다

Sunho's essay   68
Interview 1 FDSC페미니스트디자이너소셜클럽 신인아, 우유니, 양민영   70
             인터뷰 후기   98
Interview 2 오드AUD 대표 김시내   100
             인터뷰 후기   122

더 많은 레퍼런스를 기대하며   124

성평등 감수성을 지닌
문화창작자가 되고 싶은
이시은이 만나다

03

'메시지는 이렇게 전할 수 있구나. 무표정이었던 사람들이 이렇게
웃고 우는구나'

2017년, 서강연극회에서 의상소품팀으로 연극 〈82년생 김지영〉을
공연할 때의 기억이다.

막 서울로 와서 대학 생활을 시작한 내게 학과 생활은 버겁기만
했다. '남자 선배들이 이랬다더라'하는 이야기가 하루에 하나씩 들렸다.
내용은 주로 스토킹이나 어장 관리, 양다리 같은 것이었다. 도피하듯
들어간 연극회에서 나는 연극과 페미니즘을 만났다.

연극은 그간 접했던 어떤 이야기보다 황홀했다. 지영이 울면
관객이 함께 울었고, 웃기려고 공들여 만든 장면에서는 함께 웃었다.
공연 단원이 다 같이 같은 목표를 향해 달려간다는 안정감과 소속감도
좋았지만 노래, 대사, 오브제를 통해 공들여 만든 메시지가 관객에게 가

닿을 때 전율은 더욱 짜릿했다. 소설과 영화를 사랑하던 나는 새로운 세상을 만난 듯 신이 났다.

이후 뮤지컬 동아리에 들어가 온몸을 바쳐 두 번의 공연을 올렸다. 더 많은 것을 해보고 싶어 예술나눔 비영리단체 공연 예술팀에서 연극 시나리오를 써 보기도 했다. 여성의 이야기를 하고 싶어서 미혼모 인식 개선 토크 콘서트도 기획해보았다.

몇 차례 아마추어 공연을 올릴수록 여성 서사를 세상에 이야기하고 싶다는 생각이 강해졌다. 재미있는 길을 알아버린 이상 학창 시절 막연히 꿈꿨던 대기업 사무직을 선택하고 싶지 않았다. 모호한 이 열망을 포기한다면 평생 창작자를 동경하고 부러워하며 살 거라는 확신이 들었다.

인문계에 진학한 나는 다음 단계를 몰랐다. 뜨거운 마음은 있지만 어디서부터 방법을 찾아야 할지 막막했다. 롤모델을 찾아보려 했지만 이미 유명하거나 성공한 이들은 예체능을 전공했거나 페미니스트가 아니었다. 이 출판 프로젝트는 그런 고민의 순간 만난 기회였다. '대학원에 가야 할지, 대학로에 가야 할지' 현실적인 문제를 치열하게 고민하던 중 나보다 앞서 비슷한 고민의 여정을 지난 두 여성 선배를 만날 수 있었다.

'페미니즘 문화 창작자가 되고 싶은데, 어떻게 해야 할까요?'라는 막연한 질문을 품고 연극 〈82년생 김지영〉 연출가 두아인, 〈우리에겐 언어가 필요하다〉 작가 이민경을 만났다.

1 연극 <82년생 김지영> 연출
두아인

DO_ME

지치지_않고_오래오래

책임지고_끝내되_무책임하게_질러보는_것

내가_여성이니까_선택하는_여성서사

두아인은 뮤지컬 제작사 엠제이스타피시^{MJStarfish} 제작 팀장이다. 공연 연출이라는 꿈을 위해 '서강연극회' 동아리를 목표로 서강대에 입학했다. 23살에 <82년생 김지영>을 연극으로 각색해야겠다는 다짐을 했던 사람. 단호한 카리스마와 부드러운 인간미로 공연인단 전체를 파워풀한 리더십으로 이끌던 여자. 연극회에서 페미니즘 세미나를 진행하고, 대본 맨 앞 페이지에 성평등 자치규약을 써 붙였던 그에 대한 기억은 2년이 더 지난 지금까지도 강렬하다.

그는 서강연극회 활동 이외에도 임신 중지 서사를 다룬 <그 처녀의 이름은 마리아라> 극본을 쓰고, 낭독극을 올렸다. 또한 <앤서니 브라운>, <해적>, <최후진술>, <알렉산더> 등 다양한 뮤지컬 작품에 참여하면서 창작자의 커리어를 계속 만들어가는 중이다.

SNS를 통해 접한 그는 여전히 당차고 멋진 모습이었다. 한 방향으로 거침없이 나아가는 확신은 어디서 나오는 걸까? 첫 인터뷰이로 두아인을 만나보고 싶었다.

아인님은 제가 공연을 준비할 때마다 머릿속에 꼭 떠올렸던 분이에요.
'어떻게 하면 언니처럼 잘할 수 있을까?' 하고요. 그런 분을 인터뷰하게
되어 영광입니다.

제가 얼마나 무거운 마음으로 여기에 온 줄 아세요?(웃음)

어떻게 지내셨어요? 계속 공연계에서 다양한 일을 이어가셨죠?

그간 많은 일이 있었어요. 서강연극회에서 〈82년생
김지영〉을 연출할 때만 해도 연출을 해야겠다고 생각했고
계속 공연 일을 쭉 했는데요. 지금은 뮤지컬 제작사
엠제이스타피시MJStarfish에서 제작팀장, 한마디로 기획 일을
하고 있어요. 이전까지는 조연출, 조명 오퍼레이터, 작가, 컴퍼니
매니저 등 이것저것 다양하게 일을 해봤어요.

제가 봐온 아인님은 늘 공연에 열정이 있는 분이었어요. 어떤 계기로 이쪽 커리어를 쌓게 되셨나요?

고등학교 때 뮤지컬 동아리에 머리채가 잡혔어요(웃음). 동아리 회장을 하면서 〈금발이 너무해〉 작품 연출을 맡았는데 그때 공연에 매력을 느꼈죠. 학교 축제에서 공연을 하면 다들 시끌벅적하고 집중을 안 하잖아요. 어떤 한 장면에서 여주인공이 아주 어려운 인터뷰에 합격했는데 그 교수가 성추행을 해요. 그때 학생이었으니까 '기습 키스' 이렇게 꾸몄는데, 그 시끄럽던 강당이 싹 조용해지면서 '미친 거 아니야?' '나쁜놈!' 이런 속삭임밖에 안 들리는 거예요. 그 순간 소름이 돋으면서 그 집중력이 너무 좋았어요. 저는 처음부터 관객이 좋았던 것 같아요. 스토리가 주는 흡입력과 관객의 집중력, 동요되는 순간들을 참 좋아했어요.

공연의 많은 분야 중에서도 '연출'이 되고 싶었던 이유가 있다면요?

아무래도 동아리에서 연출이 가장 높은 사람처럼 보이잖아요. 그래서 '연출하고 싶다'는 생각을 했고, 그 생각이 '나만이 할 수 있는 이야기를 해야겠다'는 결심이 되었을 때 서강연극회에서 〈82년생 김지영〉을 연출했어요. 장면을 만들고, 그림을 그려내는 과정 자체는 즐거웠어요. 하지만 고민이 많았죠. 처음엔 저도 시은님처럼 '과연 내가 연출이 맞을까? 연출을 잘 할 수 있을까?' 비슷한 고민을 했어요. 그리고 연출을 한다는 건 그 일로 돈도 벌어야 하는 거니까 '내가 잘 팔릴 수 있을까? 남들보다 내가 어느 정도의 경쟁력을 갖출 수 있을까?'라는 고민이 들었어요. 그런데 이 분야에서 5년, 10년 일하신 분들도 언제나 '과연 내가 지금 가고 있는 길이 맞을까?'라고 생각 하시더라고요. 나 자신을 정의하는 언어들에 대해서 여유롭고 넓게 보려고 생각 중이에요.

지금 제작팀장, 기획 일을 하는 것도 같은 맥락인가요?

맞아요. 사실은 기획 분야가 연극의 모든 분야 중에서 제일 하기 싫은 분야였어요. 가장 많은 일을 하는데 주목을 못 받는다고 생각했거든요. 그런데 서강연극회에서도 하면 잘 할 것 같다고 부탁을 받은 자리가 항상 기획이었고, 이 제작팀장 자리도 '한번 해 보지 않을래?'라는 제안을 받아서 수락한 것이기도 해요.

남들이 나를 찾아주는 곳이 어찌 보면 경쟁력이 아닐까 생각 들었죠. 어찌 됐든 한 분야의 능력 있는 사람이 되면 끼칠 수 있는 영향력이 많아지잖아요. 연출로서 세웠던 결심을 어느 정도까지는 재현해낼 수 있겠다는 생각이 들었어요. 그래서

"

나 자신을 정의하는 언어들에 대해서
여유롭고 넓게 보려고 생각 중이에요.

"

지금은 기획 쪽으로 정리를 해 나가고 있어요.

**오랜 기간 연출이 하고 싶었던 거잖아요. 포기하는 데 아쉬움은
없었나요?**

일을 하면 할수록 느끼는 건, 하면 된다는 거에요. 만약에 내가
기획을 하고 있는데 글을 써서 어디 내고 싶으면 그냥 내면
돼요. 그건 내가 좋아하는 거니까요. 공연 일 중에서도 좋아하는
일과 해야 하는 일이 나눠질 수도 있는 거죠. 학교에만 있을
때랑 다르게 느껴지는 지점이에요. 졸업하면 무조건 하나만,
내 전공분야를 갖춰서 일하게 될 거라고 생각했는데 사실
그렇지만은 않더라고요.

**중고등학교 때부터 공연예술에 관심이 있었는데 그쪽으로 진학하지
않은 이유는요?**

외고를 나와서 인문계로 가야 했어요. 그렇지만 서강대를
선택했던 이유는 있었죠. 지금 대학로에서 활발히 활동하고 있는
작가 이희준 교수님이 계셨고 서강연극회가 있었어요. 고등학교
때처럼 아마추어들끼리 꾸려가는 게 아니라 제대로 배우고
싶은데 고민하다가 역사가 제일 오래된 서강연극회에 끌렸어요.
서강연극회는 연세극회랑 같이 1980년대를 휘어잡았던 극회로

알고 있었고, 그래서 끌렸어요. 남들이 보면 무척 이상하겠지만 동아리 때문에 서강대를 선택한 셈이죠.

책임감과 무모함

뮤지컬 〈최후진술〉과 〈해적〉에서 조연출과 기획을 하셨다니, 너무 대단하게 느껴져요. 저도 그런 일을 할 수 있었으면 좋겠다는 생각이 드는데요. 이걸 위해 준비하신 과정이나 하신 공부 같은 걸 알 수 있을까요?

공부? 아뇨, 그런 게 어디 있겠습니까(웃음). 제게 득이 됐던 게 딱 하나가 있다면 시은님처럼 '저 이런 거에 관심 있어요. 해보고 싶어요'라고 제안을 했던 것 같아요. 일하고 싶은 생각이 있으면 진짜 얘기해요. 제가 제안할 수 있는 자리가 있을 것 같아요.

남들이 얘기하는 저의 가장 큰 강점은 '책임감'과 '무모함'이에요. 제가 어느 분야에 특출 나게 잘하는 건 아니거든요. 이번

〈해적〉에서 무대 디자인을 했는데 이전에 한번도 해본 적이 없었어요. 그런데 어떻게든 좋은 걸 만들어야겠다는 책임감으로 아무리 괴로워도 도망가지 않고 그 일을 끝냈어요. 연극회에서 배운 것 중 하나가 그런 책임감이었어요. 조명 오퍼레이터 역할을 할 때는 주변분들이 '쟤 저렇게 우는데 어떻게 좀 해봐라' 하고 얘기할 정도로 괴로워했거든요. 그때가 23살이었어요. 처음 해보는 일에, 생판 눈썰미도 없는데 덜컥 일은 맡았고, 어떻게든 해보고 싶어서 난리를 떨었는데 다행히 잘 끝났어요. 그러고 나니까 인정을 해 주시더라고요.

뮤지컬 〈최후진술〉을 하게 된 계기도 비슷해요. 연극 〈82년생 김지영〉을 끝내고 대학로에서 한 번 일하고 싶다는 생각이 들어서 무작정 교수님께 찾아갔어요. "이제 휴학을 해서 시간이 비는데, 아무거나 하게 해주십시오"라고 얘기를 했어요. 그때 연결된 자리가 〈최후진술〉 조연출이었어요.

저도 뮤지컬 동아리에서 책임감을 배웠어요. 공연은 아무리 힘들어도 '할 수 있다'가 아니라 '해야 한다'잖아요. 그게 무기가 된다고 생각하니 다행이에요. 그럼 뮤지컬 〈앤서니 브라운〉 조연출은 어떻게 하게 되셨어요?

수능 끝나고 금천구에서 진행한 청소년 뮤지컬 〈레미제라블 스쿨에디션〉에 참여했는데 그게 계기가 됐어요. MTI사는 여러 뮤지컬을 학생 버전으로 편집해서 라이센싱을 대여해주는 기업인데요. 〈레미제라블 스쿨에디션〉은 MTI사와 공식 라이선스를 체결해서 진행한 공연이었어요.

사실 고등학교 뮤지컬 동아리에서 하는 공연들은 해적판인 경우가 많았거든요. 어떻게든 합법적으로 공연을 올리고 싶다는 마음이 있었는데 저한테는 너무 좋은 기회였던 거죠. 지원을 하려고 보니 배우만 뽑더라고요. 그래도 지원했어요.

레미제라블이라는 작품의 공식적인 자료를 받아볼 수 있는 기회잖아요. 영어 뮤지컬이어서 외고를 나왔으니 메리트가 있다고 생각했죠. 그때 합류해서 막 설치고 다녔더니 팸플릿에 이름을 '배우'이자 '조연출'로 올려 주셨어요. 이후 〈레미제라블 스쿨에디션 2기〉도 같이 했고요. 그때 뮤지컬 제작사 KCMI에서 관련 전문가를 파견해서 함유진 작가이자 조연출이 연출로 와 계셨고, 최재림 배우와 오은영 음악감독이 코치를 하러 오셨어요. 조연출을 해본 사람이 저밖에 없으니까 제가 조연출을 했고요. 그게 인연이 돼서 KCMI에서 저를 알았고, 그 후 3년 뒤에 뮤지컬 〈앤서니 브라운〉을 같이 하게 된 거예요.

소위 말해 인맥 관리를 잘하신 거네요. 그런 인연을 만들기도
어렵잖아요.

저도 그런 질문을 많이 했어요. 인맥관리라면 보통 명절 안부
문자, 생일축하 메시지 등을 고민하잖아요. '어떻게 하면 그런
걸 잘 챙길 수 있나요? 인맥 관리 어떻게 하세요?' 초반에 엄청
묻고 다녔죠. 그런데 어떤 무대감독님이 "같이 있을 때 잘하면
돼, 그럼 생각 나" 이렇게 얘기하시더라고요. 비슷한 맥락이
반영됐던 것 같아요. 100%, 120% 정도 하면 어떻게든 나를
알아봐 주겠지. 사실 초반에는 그런 생각을 떠올릴 새도 없이
어떻게든 공연은 올린다는 책임감에 막 달리기도 했고요.

사실 조명 오퍼레이터나 무대 디자인도 처음 했다고 해서 놀랐어요.
필드로 나가기 위해서는 모든 준비가 다 돼있어야 한다고 생각했거든요.
뭐든 완벽하게 준비하려는 저랑은 다르게 시도를 많이 해보시는 것
같아요. 그 기회들이 자꾸 꼬리를 물면서 오늘날의 두아인이 됐다는
생각이 들어요.

남자들은 블러핑(허풍)이 있잖아요. 못 해도 할 수 있는 것처럼.

맞아요!

동아리에서 많이 당했나 봐요(웃음). 그런 생각을 한 것 같아요.
내가 남자였으면 그냥 했을 텐데. 가끔씩 정말 걱정이 될 때
자의적으로라도 생각했어요.

저도 요즘 그 생각 많이 해요.

말이 모순되지만, 책임지고 끝내되 무책임하게 질러보는 것도
어느 정도는 필요하다고 생각해요.. 작가나 연출을 어떻게
시작해야 하는지 궁금하다고 했죠? 저도 비슷한 질문을 주변에
작가 언니들한테 물어봤어요. 그랬더니 "그냥 써! 한국어잖아!"
이렇게 얘길 하는 거예요. 아니, 무슨 책이라도 추천해 주든가.
어디 청강을 들으라고 알려주든가. 그냥 쓰라는 말이 와 닿지
않았죠.

그런데 〈그 처녀의 이름은 마리아라〉가 극단 백수광부 신작개발
프로젝트에 선정되고 나서 느꼈던 게, 써봐야 아는 거더라고요.
내가 어떤 걸 잘하고 어떤 걸 못하는지, 내가 어떤 희곡을
좋아하는지. 책이나 좀 더 읽어야겠다는 생각도 들면서 어쨌든
원동력이 생기더라고요. 주체적으로 추진해나가라는 뜻이었다는
걸 나중에 알게 됐어요.

〈그 처녀의 이름은 마리아라〉 얘기 더 해주세요. 낭독극으로도 제작 됐잖아요.

저는 KCMI에서 일하면서 그 희곡을 썼는데요. 틈틈이 계속 쓰고, 쓰기 싫어 괴로워하면서 썼어요. 마감 때가 되니까 제가 쓰고 싶어서 쓴 글인데도 쓰기 싫더라고요. 저희 연출님이 그걸 리딩하는 데 15분밖에 안 걸렸대요. 굉장히 미숙하고 짧은 희곡을 쓴 거예요. 그걸 좋게 봐주셔서 뽑혔고 또 하나의 인연이 됐죠. 만약 그걸 안 냈다면 낭독극을 하는 경험도 갖지 못 했을 테고, 상업 쪽 연극하는 분들은 어떻게 지내는지 알 수도 없었을 거예요.

다시 생각해보니 무모했고 솔직히 조금 창피해요. 미완성인 나의 글을 직면해야 하는 게 청문회 같고 민망한 경험이더라고요. 그런데 민망하다는 것도 해봐야 알잖아요. 내 글에 대한 책임감도 더 생기고요. 그래서 그 뒤로 하나도 못 썼어요. 배우들이 내 대사 하나로 머리를 싸매고 고민하기도 하고, 내 눈 앞에서 공연이 후루룩 되는 걸 보니까 못 쓰겠더라고요. 또

써보고 싶은 마음이 올라오면 써야겠다는 생각을 했어요. 그것도 써봐야 알지 않았을까요? 그래서 시은님도 대본이든 시나리오든 뭐든 하나 써봤고 공연을 올려봤다고 얘기하는 게 그런 면에서 되게 좋은 것 같아요.

계속해서 여성 서사를 쓰려고 하는 이유는 무엇인가요?

여성 서사를 쓰는 건 어떤 대단한 결심이 있어서가 아니라, 내가 여성이니까 선택을 하는 것에 가까워요. 남성 작가나 연출이 지금까지 엄청 많았으니까 남자 중심의 얘기를 했을 거 아니에요. 저는 여자니까 여자 얘기를 하는 게 당연한 일인 것 같아요.

저는 얼마 전 〈Homelessness〉라는 연극의 대본을 썼어요. 기존에 제가 경험한 많은 콘텐츠가 남성 중심 서사로 이루어져 있고, 이미 사회에서 정형화된 성별에 대한 이미지가 있잖아요.
그 클리셰를 답습하고 싶지 않아서 매 대사마다, 장면마다 고민을 많이 했어요. 그러면서도 재미있게 만들고 싶었고요. 공연할 때 비슷한 고민을 하신 적이 있나요?

〈82년생 김지영〉을 선택할 당시 그런 고민을 많이 했죠. 여성 서사를 하고 싶었고 도서관에 가서 희곡을 찾는데 여성은 어머니, 창녀, 할머니로만 나왔어요. 저는 재미있고 신나는 연극을 하고 싶은데 원하는 종류가 없는 거예요. 영어영문과 희곡 담당하는 교수님들께 페미니즘 서사 희곡 추천을 부탁 드리기도 하고, 동아리에서 할 수 있는 현실적인 부분도 고려하면서 오랜 기간 고민했어요.

그러다가 〈82년생 김지영〉 책을 읽은 거예요. 당시 대본에 김지영이 결혼하고 회사를 그만두는 부분은 책 전문을 그대로 대사로 실었어요. "그 모든 것이 끝났다. 김지영씨가 능력이 없거나 성실하지 않은 것도 아닌데, 그렇게 되었다" 책을 읽는데 그 부분에서 딱 접고 구역질을 했어요. 너무너무 힘들어서요.

결혼해서 아이를 낳는다는 게 여자로서 삶의 여정에서 상상할 수 있는 가장 최근의 미래잖아요. 3분의 1은 그만두고 몇 퍼센트는 복직하지 않는다는 통계로 이어지는 그 문장을 읽으면서 '졸업해서 이게 다야?'라는 생각이 들면서 구역질이 나더라고요. 그전에 했던 작품이 남자 연출이 한 굉장히 호탕하고 쾌활한 작품이었는데, 나는 이런 재미없고 슬프고 구역질이 나는 이야기밖에 못하겠다는 생각이 들어 우울해졌어요.

사람의 본성은 사실 재미있는 걸 좋아해요. 특히 연극, 뮤지컬은 엔터테인먼트잖아요. 그럼에도 불구하고 〈82년생 김지영〉을 해야겠다는 생각이 들었어요. 그때 같이 여성학을 공부했던 친구 중 한 명이 '그거 굳이 꼭 연극으로 해야 돼?'라고 물었어요. 그때부터 미친 듯이 연극으로 해야만 하는 이유들을 찾았고 그걸 중심으로 〈82년생 김지영〉을 만들었어요.

그럼에도 불구하고 〈82년생 김지영〉을 해야겠다는 생각이 든 이유는요?

당시에는 〈82년생 김지영〉 외에는 할 수 있는 말이 없다고 생각했어요. 여성 서사가 없고, 〈82년생 김지영〉밖에 없다는 생각이었죠. 그런데 '여성과 문학' 수업을 들으면서 여성 작가가 쓴 책이 한 학기 수업을 할 수 있을 정도로 엄청 많이 있다는 걸 알게 됐어요. 제가 몰랐던 거죠. 여성 서사를 아무도 얘기하지 않은 것이 아니라 관심받지 못했을 뿐이라는 생각이 들었어요. 물론 작품이 다 만족스럽진 않아요. 그럴 수도 없고요. 어떤 작품은 가정폭력을 고발하면서도 끝에는 같이 살아야 된다고 허무하게 이야기하기도 해요. 각자가 생각하는 게 다른 거예요.

어떤 사람들은 지금 내가 당하고 있는 차별에 대해 얘기하고 싶어 하고, 어떤 사람들은 〈원더우먼〉처럼 다른 세계를 살아가는 여성의 이야기를 하고 싶어 하기도 하죠. 또 어떤 사람은 〈미스 슬로운〉처럼 아주 독창적인 여성에 대해서 말하고 싶어 하기도 하잖아요. 중요한 것은 어쨌든 관객도 모두 다 다른 사람들이기 때문에 어필할 수 있는 지점이 다르다는 거예요. 저도 머리가 뜨거웠을 때는 〈82년생 김지영〉밖에 없다고 생각했는데 지금의 제가 그 당시의 저에게 얘길 한다면 다른 것도 찾아보라고 할 것 같아요.

알았으면 〈82년생 김지영〉 말고 다른 걸 하셨을까요?

모르겠네요(웃음). 답답했거든요. '왜 내가 아는 건 정해져 있고, 그건 새롭지 않을까?' 그런데 지금까지 많은 여자 선배들이 나와 똑같은 질문을 던졌고 이야기 해왔다는 것, 각자의 장단점이 있겠지만 나름의 결론을 내려서 많은 작품을 써왔다는 걸 아는 것만으로도 큰 위안이 된다고 생각하거든요. 저도 공부를 해야겠지만 시은님도 많이 찾아보면 좋을 것 같아요.

**저도 제가 하고 싶은 얘기는 다 우울하고 어둡다고 생각했어요. 기존의
재미는 늘 불편함이 있고요. 새로운 재미를 찾는 게 어려워요.**

저도 고민 많이 해요. 일단 자신을 너무 옥죄지 않으면
좋겠어요. 'DO ME'라고 하잖아요. 나대로 한번 써보고 평가를
달게 받아보세요. 창작 욕구를 죄책감이 막아버리는 건 별로
바람직하지 않아요. 습작 100개를 써도 발표하지 않으면 남들은
알 바가 아니에요.

저도 자유롭게 혼자 쓸 때 쾌감을 가장 즐거워요. 고시원에서
자취하던 때에는 제대로 된 집이 없는게 화가 났어요. 그래서
청년들이 집이 없어서 빈 영안실 한 칸에 2만 원 내고 사는
내용을 썼어요. 남녀가 만나는 장면을 유머러스하게 넘어가고
싶었는데, 그냥 남자를 벗겼어요. 근육이 나오고 은밀한
음악이 나오는 거죠. 여자들한테는 굉장히 많이 되풀이됐던
레퍼토리잖아요. 여자가 바닥에 있는 뭔가를 줍는데 각선미가
드러난다든지. 습작이니 재미있게 풀어보는 거죠. 본인이

조심해야겠다는 생각이 있기 때문에 더 자유롭게 의지를 가지고 써봐도 괜찮아요.

윤가은 감독의 〈우리집〉, 김보라 감독의 〈벌새〉가 흥한 것처럼 예술계에 여성 서사가 많아지고 있어요. 하지만 여전히 '다양성 영화', '독립 영화'라는 타이틀을 달고 있거나 상업성과는 거리가 멀다고 여겨지기도 해요. 여성의 이야기가 좀 더 대중적이기 위해서 어떻게 해야 할까요?

시간문제라고 생각해요. 지치지 않고 오래오래 갈 수 있으면 좋겠어요. 연출에서 기획으로 바꾸면서 머리가 뜨거운 것도 의미 있지만 쿨 다운하고 오랜 기간 이 분야를 지지하는 것도 의미가 있다고 생각했어요. 굵고 길게 가기는 어려워요. 때로는 굵게, 때로는 가늘게 가는 것이 좋지 않을까요.

공연을 통해 앞으로도 여성의 이야기를 한다고 할 때 더 많이 이야기되어야 한다고 생각하는 부분, 두아인님이 이야기하고 싶은 내용이 있을까요?

여성 중에서도 소수자인 사람들의 이야기가 많이 나와야 한다고 생각해요. 〈목란언니〉와 〈전화벨이 울린다〉라는 연극을 굉장히 인상 깊게 봤는데요. 〈목란언니〉는 새터민 여성에 대해,

〈전화벨이 울린다〉는 콜센터에서 일하는 여성 직원들에 대해 이야기하는 작품이었어요. 그런 것들이 소수자 여성, 주변인 여성의 서사라고 생각하거든요. 남성 서사에서도 영웅에서 주변인으로 흘러가는 식의 흐름이 있잖아요. 마찬가지예요. 영웅적인 여성도 당연히 필요하죠. 다양한 여성 이야기로 여성 서사도 더욱 다채로워졌으면 해요.

그런 생각이 〈그 처녀의 이름은 마리아라〉에서 드러난 걸까요? 낙태하는 여성에 대해 다루고 있잖아요.

네. 조셉 캠벨의 '영웅서사 연대기'라고 있어요. 대부분 남자 주인공에게 보편적으로 쓰였던 그 연대기를 그대로 가져왔어요. 성경 속 인물 '마리아'의 수태고지를 대한민국 청년 김마리아가 갑자기 당한 거죠. 한마디로 임신을 당한 거예요. 그리고 나서 낙태하기까지의 여정을 영웅서사 연대기에 따라 엮어서 만든 작품이에요. 영웅서사를 택한 이유는 낙태의 여정도 영웅서사가 될 만큼 힘든 과정이라는 걸 보여주고 싶어서였어요.

아까 시은님이 어떤 공부를 해야 하냐고 했죠? 단순히 여자 이야기를 공부해야 되는 것도 있지만 어떤 것을 전복시키려면 지금 주류인 것들을 공부하는 것도 매우 중요한 것 같아요.

영웅서사를 잘 모르면 그걸 전복시키지도 못하잖아요. 어찌 보면
두 배로 어렵고 두 배로 공부를 많이 해야 하는 거죠.

**얘기를 듣다 보니 여성의 이야기를 하는 다른 분들이 떠오르네요.
이민경 작가나 김진아 작가처럼 페미니즘 책을 내고 강연하는 분들도
많고요. 윤가은 감독은 여자 아이들의 이야기를 영화에서 하고 계시죠.
각자의 자리에서 각자의 일을 하는 여성들이 연결되는 느낌이 들어요.**

윤가은 감독님은 서강연극회 선배님인데 〈씨네21〉 칼럼에 연극
〈82년생 김지영〉에 대해 글을 써주셨어요. 이름을 기억하는
게 중요하겠다는 생각을 그때 했어요. 주변 남자들은 잘만
하던데, 왜 나는 내 소개를 잘 안했는지 후회가 되었어요.
여자들은 그런 욕심을 잘 못 내거든요. 왠지 저 언니 바쁠 거
같고, 저 언니도 자기 삶이 있을 것 같잖아요. 그렇지만 서로 많이
챙겨야 해요. 선배는 후배에게, 후배는 선배에게 연줄이 되고
같이 일할 수 있는 기회가 있으면 그걸 놓지 않는 거죠. 거기서
제일 중요한 건 서로 능력 있는 사람이 되는 거예요. 단지 '내가
좋아하는 언니이고 동생이기 때문에'만으로는 안 돼요. 실력
있는 사람이 되는 것, 일을 맡겼을 때 그 일을 잘할 사람이 되는
것, 또다시 누군가를 끌어줄 수 있는 멋진 사람이 되는 것. 이게
제일 중요한 것 같아요.

"

서로 많이 챙겨야 해요.
선배는 후배에게, 후배는 선배에게
연줄이 되고 같이 일할 수 있는 기회가 있으면
그걸 놓지 않는 거죠.
거기서 제일 중요한 건
서로 능력 있는 사람이 되는 거예요.

"

아인님도 아직 20대 중반이시잖아요. 공부를 하거나 취업 준비하는 다른
친구들과는 다른 삶을 사실 것 같은데 어떠세요?

> 맨날 원망하죠. 이렇게 규범적 루트를 걸어오면서 머리에는
> 모험을 동경하게 만들어 놨으면 누군가는 책임져야 하지 않나.
> 차라리 너의 길은 공부밖에 없다고 말해주든지. 예술과 사람과
> 사랑을 동경하게 됐는데 겁만 많으면 어떻게 하라는 거냐.
> 확실히 많이 우울해요.

많이 우울하다고요?

> 그렇죠. 어찌됐든 대한민국에서 평범한 것과 다른 삶을 산다는
> 것 자체가 힘든 데다가 많은 사람에게 이해를 구해야 해요.
> 공연일을 바쁘게 하다 보면 가족 생일도 못 챙기고, 명절에도
> 못 내려가요. 친구들이 퇴근할 때 출근해야 하니 친구들도 잘
> 못 보죠. 앞으로는 일과 삶이 양립 가능하게 바뀐다고 하는데
> 아직까지 이 분야에서는 일이 삶보다 중요해야 하는 게 어느

정도 상식인 것 같아요.

가장 근본적인 건 직업적 불안정성이에요. 일이 많으면 많은 대로 힘들고 적으면 적은 대로 힘들어요. 일이 많으면 내 삶은 24시간인데 쪼개서 써야 되니 힘들고, 일이 적으면 당장 생활비가 아쉽죠. 또 공연 분야는 외부에 변수가 많은 영향을 끼쳐요. 만약 태풍이 오면 관객이 줄죠. 관객이 줄면 매출이 줄어드는 건 당연하지만 그 공연을 위해서 2~3년을 준비한 분들도 있을 수 있어요. 만약 치명적인 영향을 받으면 재기가 불가능할 수도 있고요. 그런 걸 보면 굉장히 불안한 비즈니스인 것 같긴 해요.

그럼에도 불구하고 공연이 재미있기 때문에 계속 하고 계시는 거잖아요?

그렇죠. 관객들이 들어올 때와 다른 표정으로 극장을 나가는 게 재미있어요. 내가 그렇게 싫어했던 기획을 하면서도 재미있는 이유는 그런 것 같아요. 내 공연을 좋아해주는 사람, 내 공연으로 인생에 조금이나마 다른 변화를 겪는 사람들에 큰 기쁨을 느껴요. 가끔 어떤 책의 어떤 구절이 힘들 때 생각나기도 하잖아요. 그런 것처럼 어떤 장면이, 어떤 대사가 혹은 어떤 음악이 나를 그렇게 도와줄 때도 있어요. 제가 했던 공연들이 관객의 마음에 그런 방식으로 남으면 너무 좋을 것 같다는 생각이 많이 들어요.

저도 사실 CJ나 방송사 같은 곳에서 문화 창작이나 유통 일을 할 수도 있겠다는 생각도 들어요. 연극 분야에서 작가나 연출을 하는 건 부담스럽기도 하니까요. 이런 저런 방향 사이에서 진로 고민을 하고 있어요. 대기업과 프리랜서, 어떻게 생각하세요?

저도 비슷한 진로 고민으로 고등학교 때 A4 두 장짜리 편지를 써서 뮤지컬 기획자들한테 보낸 적이 있어요. 딱 한군데서 답장이 왔어요. 그때 답장을 받았다는 것만으로도 무척 마음이 설레고 좋았죠. 그런데 시간이 지나고 보니 그게 얼마나 정성 있는 이야기였는지 알게 되더라고요. '이 분야를 선택하지 않아도 너는 행복할 수 있다' 결정적으로 '무대 백스테이지에서 배우들과 함께 긴장하고 호흡하는 것도 좋지만 VIP석에서 사랑하는 사람과 함께 좋은 시간을 보내는 것도 행복한 경험이다'라고 조언해 주셨어요. 맞는 말이에요.

하지만 만약 하고 싶은 게 있고, 어떤 공연을 해야만 한다는 생각이 든다면 해보세요. 하지 않은 일에 후회가 더 큰 법이잖아요. 공연예술계는 제일 먼저 고민되는 부분이 아마 돈일 거예요. 정당한 대가를 받기도 어렵고 열정 페이도 많죠. 페미니스트라면 나의 개인적인 도덕적 판단에 큰 의미를 두게 되는데 그래서 고민되는 지점들이 많아요. '이런 문화에 아예 참여하지 않으면서 세상을 바꿔야 하는 것 아닌가?' 같은 고민이요. 가끔은 능력 있는 나를 위해서 취할 건 취하고 버릴 건 버리는 것도 좋다고 생각해요. 물론 열정 페이를 받으라는 얘기는 아니지만, 본인이 생각했을 때 나를 성장시켜줄 반드시 해야 하는 결정들이 있다면 그걸 믿고 따라가라는 거죠.

삶의 많은 부분을 차지하고 있는 '일'이 두아인 연출에겐 어떤 의미인가요?

어떤 의미인지 최대한 생각을 안 하려고 해요. 너무 간절하면 오히려 빨리 지치고 조급해지잖아요. 이게 나의 꿈이고 내 삶의 목표라면. 내 '일'이란 돈 벌어먹고 사는 길. 그러면 계산이 편해져요. 단순해지고.

제가 그래요. 너무 간절해요.

그러니까요. 특히 공연예술 분야는 다들 꿈을 생각하고 와요. 그런데 어떻게 보면 또 업이거든요. 돈 벌어먹고 사는 일. 꿈이라고 생각하면 조금이라도 잘못됐을 때 우울하고 짜증이 나요. 하지만 업이라고 생각하면 쿨해지죠. 시야가 더 트이고 내가 할 수 있는 게 뭔지 먼저 생각하게 돼요. 우리는 자소서를 미친 듯이 쓰면서 사는 세대이기 때문에 꿈을 하나로 정하는 데 익숙해요. 그래서 하나의 꿈을 가지고 가야 한다고 생각하지만 사실 그렇지 않아요. 이렇게 격변하는 세상에서 하나의 직업을 가지는 경우도 드물고, 지금은 하나의 직업을 갖고 있는 것처럼 보이는 사람들도 향후 어떻게 될지 모르니까요..

비슷한 길을 가고자 하는 후배들, 특히 이 영역에서 일하고 싶어하는 20대 여성들에게 해주고 싶은 말이 있으시다면?

어차피 지금 이 판에서 일하고 있는 사람들도 정답은 모르기 때문에, 일단 해보세요. 특히 이 분야는 해보지 않으면 몰라요. 해보고 안 맞으면 하지 말고 잘 맞으면 하세요. 남들이 다른 분야를 인정해주면 그 분야로도 한번 생각해보고. 지치지 마세요. 일은 즐겁게 행복하게 하시고요.

감사합니다. 오늘 인터뷰는 그냥 언니 만나서 고민상담한 기분이에요(웃음). 좋네요.

그게 목적 아니에요?(웃음)

두아인을 만난 날은 햇빛이 유독 좋았다. 나에게 시험 기간이기도, 과외를 가야 하는 날이기도 했다. 짧은 인터뷰가 끝나고 일상으로 돌아갔지만 머릿속이 내내 어지러웠다. 실제로 뮤지컬 〈해적〉 무대 감독 자리를 제안받아 휴학을 하고 무대 감독을 해야 할지 고민이 많았던 탓이다. 결국 그 제안은 정중히 거절했지만 고민의 과정에서 내가 어떤 가치를 좇는 사람인지 생각해볼 수 있었다.

고민의 과정에서 내가 어떤 가치를 좇는 사람인지 생각해볼 수 있었다. 하나의 길에서 모든 열정을 쏟는 사람이 두아인이라면, 나는 열정을 어디다 쏟을지 한참을 고민하는 사람이다. 스무 살에는 그런 언니가 대단하게만 보였지만, 지금은 그에게도 수많은 망설임과 고민의 과정이 있었다는 걸 알게 되었다.

이 인터뷰 전체를 관통하며 두아인이 나에게 던진 메시지는 '일단 해보라'는 것이었다. 이 분야에서 오래 일하고 있는 사람들도 앞으로 무엇을 해야 할지 잘 모른다는 것과 본인도 나와 함께 유동하는 길 위에 서 있다는 것. 여전히 겁이 나지만 '일단 해보자'고 한발 더 내딛을 원동력을 얻었다.

인터뷰가 끝나고 한달 뒤, 초대권을 받아 뮤지컬 〈해적〉을 보러 대학로로 향했다. 조그만 무대가 바다가 되고, 배가 되고, 감옥이 되는 장면을 지켜 보면서 연극이나 뮤지컬을 보면 늘 그렇듯 마음이 벅차 올랐다. '내 공연을 좋아해주는 사람, 내 공연으로 인생에 조금이나마 다른 변화를 겪는 사람들에 큰 기쁨을 느낀다'고 했던 그의 말을 내가 실감하는 순간이었다.

그는 여전히 엠제이스타피시^{MJStarfish}에서 기획자로 새로운 뮤지컬을 만들고 있다. 그 뮤지컬의 어떤 장면, 대사 그리고 음악은 분명 관객들의 마음에 가닿아 오래도록 남을 것이다. 좋은 공연을 만들어 관객들과 함께 호흡하는 그를 나도 묵묵히 응원하려 한다. 나는 내 자리에서 내가 할 수 있는 일을 해보려고 한다. 'DO ME'를 마음 속에 새기며.

2 <우리에겐 언어가 필요하다> 작가
이민경

'응시되는_자'에서_'응시하는_자'로
비일상이라고_여겨지는_새로운_방향으로의_전환
문을_두드리는_것,_그냥_쓰는_것

이민경은 페미니즘 독립출판사 '봄알람' 대표다. 강남역 살인 사건이 일어난 2016년, 그는 남성들의 성차별적 언어로부터 여성들을 지키기 위해 <우리에겐 언어가 필요하다 : 입이 트이는 페미니즘>를 9일 만에 써냈다. 이후 현재까지 단독저서 4권, 공동저서 4권을 펴냈고, 영어와 프랑스어를 넘나들며 페미니즘 서적 번역을 하고 있기도 하다. 그의 메시지는 강렬하다. 그는 책을 넘어 글쓰기 수업, 다양한 강의와 영상 매체를 통해 "여성이 판을 깨고 나와야 한다"고 말한다.

연극, 뮤지컬, 토크 콘서트까지 여러 장르의 아마추어 공연을 만들어오며 '결국 나는 무슨 이야기를 하려고 하는가' 회의가 들던 시점, 이민경 작가를 만났다. '나는 어떤 콘텐츠를 가져야 하나?', '콘텐츠를 갖기 위해서는 어떻게 해야 하지?' 고민하고 있는 나에게 이민경 작가는 호기심을 불러일으키는 사람이었다. 나와 같은 세대 중에 이렇게 명확한 콘텐츠를 갖고 있는 사람은 그가 처음이었기 때문이다.

작가님은 불문학과를 졸업한 선배이기도 한데요. 저는 인문대를 나오면
취업이 어렵다는 불안감 때문에 고민이 많아요. 대학생 때 진로에 대한
고민은 없었나요?

> 저도 고민이 많고 불안했어요. 학부 때는 영화 번역가가 되고
> 싶어서 번역 아르바이트를 굉장히 많이 했어요. A4 한 장에
> 5000원 받는 알바였는데 그걸로만 300만 원씩 벌었어요. 내
> 에너지가 어디를 향하는지 이해하지 못한 채 약간 집착적으로
> 글을 옮겼죠. 졸업하던 해인 23살엔 원하는 일을 하려면 어떤
> 직장에 가야 하나 많이 불안했어요.

통번역대학원을 진학한 계기도 궁금해요. 통·번역사가 되고
싶으셨어요?

> 대학원에서 사회학을 더 공부하고 싶기도 했지만 돈을 못 벌
> 것 같아서 통번역대학원에 갈 생각을 했어요. 불어도 곧잘 하고
> 한국어 실력도 괜찮아서 결국에는 순응하듯 통번역대학원

입시를 준비했죠.

막상 입시 과정이나 대학원 입학 후 학교생활은 내내 무척
재미있었어요. 하지만 번역가가 되기로 마음먹은 데는 분명히
창작에 대한 두려움이 있었어요. 어려서부터 여성 작가 책을
많이 읽고 좋아했는데 막상 내가 창작을 하는 것은 두려웠어요.
절대로 기승전결이 있는 이렇게 두꺼운 책은 쓰지 못할 거라고
생각했죠.

그런데 사실 글을 쓰고 싶은 게 제 마음이었어요. 지금
돌이켜보면 또래에 비해 많이 읽는 편이었는데 쓰기를 못할
거라고 단정 지었던 게 이상해요. 문화적 금기에 대한 저의
반응이었을 거예요. 그렇지만 번역가가 되어 글을 옮겨내는 일은
잘할 수 있겠다고 생각했죠. 번역가로서 글을 옮겨내는 일은
실제로 적성과 맞는 선택이기도 했지만 번역문을 만들어내는
작업에서 원문을 쓴다는 압박을 느끼지 않았기 때문이었어요.

**창작에 대한 두려움 때문에 통·번역사를 생각하셨다는 말이 와닿네요.
저 또한 어릴 때는 화가, 작가, 영화감독 이런 식으로 창작자를 꿈꾸다가
어느 순간 PD, 방송기자, 서울문화재단 취업과 같은 식으로 어디에
속하는 역할을 해야 할 것만 같았어요.**

저는 학부 때 불문학과 사회학을 이중 전공했는데 언어를 쓰고 싶고 여성과 관련된 일을 하고 싶다는 두 가지 열망이 있었어요. 지금 보면 그 열망이 제가 갈 수 있고 가야 하는 길을 놀라울 정도로 구체적으로 알려주고 있었는데도 당시 저는 이 막연한 열망을 이미 존재하는 진로 중 어디에서 실현해야 하나 끊임없이 고민했어요. 유네스코일까, 여성학 대학원일까, 어느 연구소 어느 직책인가 하는 식으로요. 막상은 그렇게 떠올린 진로 역시 기존의 열망이 나간 통로였을 텐데요. 그러니 그때 제게 필요했던 건 직장을 고르는 것보다 열망을 구체화하는 작업이었던 거죠.

열망을 구체화하는 작업이 필요하다는 말에 깊게 공감해요. 저는 지난 몇 년간 연극과 뮤지컬을 하며 공연예술에 빠져들었어요. 사실 제가 좋아하는 것은 스토리텔링, 퍼포먼스, 비주얼 작업 같은 것인데 제가 이 열망을 들여다보기보다는 어떤 직업을 선택할 것인가에 집착하고 있더라고요.

PD가 돼야 하나, 공연 연출가가 돼야 하나. 이런 식으로요. 그런데 PD가 되자니 방송만 하고 싶지는 않고, 다큐나 예능, 드라마 중에서 뭘 하고 싶은지도 못 고르겠고요. 공연계에서 일하자고 하면 박봉이니까 걱정이 되고요. 답이 안 나왔어요.

맞아요. 진로라는 건 자기 길이거든요. 자기 길은 안에서
나오는데 기존에 만들어진 외부의 길과 일치할 수 없죠. 그러니
창작자를 꿈꾼다면 더더욱 내 안에 집중해서 밖으로 길을 터
나가야 해요. 요즘같이 유연하고 불안정한 노동환경에서는 더욱
그럴 거고요. 대부분 진로를 고민하는 학생들은 자신이 어느
통로에 편입되어야 하는지 알아내는 데 집착하지만 자기 통로는
자기 안에 있는 거죠.

**통·번역사가 되려고 했지만 이제 꽤 다른 길을 걷고 계신 듯해요. 매우
다양한 일과 활동을 하고 계시고요. 지금의 삶에 만족하세요?**

네. 행복하고 뿌듯해요. 저는 보수 노동과 무보수 노동을 별로
구분하지 않고 살아요. 보수가 있든 없든 제가 하는 노동의
대부분은 자율노동으로 채워져 있고 타율노동을 별로 안
하니까요. 지금 하고 있는 이 인터뷰는 타율노동의 일종이긴
한데, 다른 여성들을 만나는 일이니까 이 또한 즐거운 영역에
속하거든요. 그래서 스트레스가 별로 없어요.

그렇지만 노동 강도는 상당히 빡세고 스케줄도 꽉 차 있어요.
그래도 재밌어요. 매일매일 새로운 이야기를 만나고 있고,
사람들에게 들려주고 싶은 이야기가 많기 때문이죠. 저는 여성들

"

저는 보수 노동과 무보수 노동을
별로 구분하지 않고 살아요.
보수가 있든 없든 제가 하는 노동의 대부분은
자율노동으로 채워져 있고
타율노동을 별로 안 하니까요.

"

내면의 내러티브를 확장시키는 역할을 하는데 무척 흥미로운 일이에요. 사람들은 이야기를 좋아하고 저는 그 이야기를 세공하는 일을 해요. 그들이 좋아하는 모습을 볼 때나 제가 제 일에 집중할 때나 대체로 즐거워요.

그렇게 생각하는 게 대단해요. 좋아하는 것도 일이 되면 싫어질 수도 있잖아요.

일이 뭘까요? 저는 일을 활동^{activity}이라고 생각하는 것 같아요. 행동^{act}을 계속하고 다니는 것이 제 일이죠. 직업이 활동가이니까 타당한 생각인 것도 같아요. 그리고 제 기질 문제인지 페미니즘 정치의 특성인지 공과 사가 엄청 뒤섞여 있어서 일의 개념이 모호해요. 수다를 떨다가도 데이트 폭력 상황에 대해 듣게 되면 지체하지 않고 개입하기도 하고 북콘서트같이 공적인 자리에서 사적인 농담을 던지기도 해요. 그러면 '이게 지금 수다야, 돈 받는 일이야?' 구분이 잘 안 되죠. 구분해야 하나 싶다가도 애초에 모호함이 본질인가 싶기도 해요.

그러면 어떤 일을 하는 사람으로 자신을 정의하나요? 작가, 번역가, 콘텐츠 창작자 등 다양한 이름으로 불릴 수 있을 텐데요.

정의는 하지 않아요. 제가 하는 일은 한 분야에 집중되어 있지 않고 여러 분야와 영역에 걸쳐 있어요. 책을 쓰는 사람으로 알려졌지만 번역, 강연, 기획을 하고, 캠페인을 실행하기도 해요. 요즘은 '몸에서 뻗어내는 글쓰기'라는 클래스를 진행하고 동시에 논문 작업도 하고 있어요. 누군가에게는 제가 집중하지 못 하는 사람으로 보일 수도 있어요. 하지만 제가 다양한 영역을 넘나들며 하고 있는 모든 일이 '여성들을 연결시키고 싶은 마음'에서 뻗어 나오는 가지들이기 때문에 공통의 맥락을 가지고 있다고 생각해요. 정의한다면 매개자에 가깝지 않을까요.

바깥의 인정은 왔다 갔다 해요

작가님이 어떻게 성장해왔는지도 궁금해졌어요. 여성 작가들의 책을

어렸을 때 많이 읽었다고 하셨는데요. 그 이유를 듣고 싶어요.

훌륭한 책으로 이름난 남자 작가의 책을 읽을 때면 '이게 무슨 이야기지?' 생각이 들 때가 많았어요. 그런데 여성 작가의 책은 이해가 너무 잘 되는 거예요. 저의 이 느낌, 이 감각을 신뢰하고 싶었어요. 그래서 내 감각에 맞는 걸 계속 찾아가면서 이 감각을 안에서부터 길러내는 데 도움이 되는 것 위주로 읽었어요. 말하자면 저의 중심성을 버리지 않았던 거죠. 안타깝게도 많은 여성이 자기 중심성을 쉽게 버려요. 자신의 감각을 신뢰하지 않고 자신과 안 맞는 곳에 가서 맞는 척하는 경우가 많아요.

저한테는 영화를 이해하는 메커니즘이 그런 느낌이었어요. 주인공이 느끼는 감정이나 영화가 표현하려는 게 뭔지 모르겠는데도 부자연스럽게 학습하며 이해한 척하고 예술적인 영화라고 말하는 거죠.

남성 작품이 상을 받으면 기민한 여성들은 그 남성 작품에서 어떤 면이 사회적 인정을 받았는지 빠르게 감지해요. 자신의 감각과 달라도 그 부분을 받아들이려 노력하죠. 스스로의 감각보다는 외부의 기준에 맞춰 자신의 내면을 조정하는 거죠. 그 작품에서 훌륭하다고 인정받은 부분이 이해가 안 되는데도 자기를 높이거나 낮추면서 '음. 훌륭해' 하고 점점 배우는 거예요.

사회화의 원리일지도 모르죠. 그런데 이렇게 하다 보면 분명히, 반드시 자기 안의 무언가를 외면해야 해요. 그러면 나중에 내면의 신호가 망가지게 돼요.

바깥의 인정은 왔다 갔다 해요. 예를 들어 지금 갑자기 문화 권력이 바뀌어서 여성 감독이 대세로 인정받는 시대가 되면 지금까지의 기준이 모두 전복될 거예요. 그러니 외부의 인정에 너무 신경 쓸 필요 없어요. 게다가 주관적인 시대잖아요, 우리가 사는 시대가.

저는 공연을 두 번 기획한 경험이 있는데 늘 준비가 오래 걸렸어요. 잘하고 있는 건지 확신이 들지 않았거든요. 조사나 공부가 더 필요하다는 느낌이 들기도 하고, 내가 선택한 주제가 누군가에게 상처나 불편함을 주지 않을까 고민도 있었어요.

가정 밖 청소년을 다룬 연극 〈Homelessness〉를 기획할 땐 실제 가정 밖 청소년이 보기엔 기만이지 않을까 고민했고, 미혼모 인식 개선 토크 콘서트 〈WHO ARE YOU〉를 할 땐 경제적 · 정서적으로 힘들어 무언가에 도전할 조건이 안 되는 미혼모들에게 '아무리 힘들어도 노력하라'라는 메시지로 들릴까 걱정했어요. 그래서 전달하고 싶은 메시지가 분명하고 실행이 빠른 작가님이 신기해요. 작가님이 콘텐츠를 기획하고 실행하는 기준은 뭔가요?

일단 시의성과 적절성이 중요해요. 지금 이 시점에 세상에 필요한 메시지인지를 질문하죠. 그리고 한 가지 더한다면 재미예요. 이 일에 관여된 모두가 재미를 느끼며 과정에 참여할지 질문해봐요.

저는 재미있는 아이디어가 생각나도 '그것을 해낼 역량이 과연 나에게 있을까?' 고민하면서 주저하게 돼요. 몇몇은 실행하지만 대체로 나중을 기약해요. 지금은 함께할 사람도, 능력도 없고, 이런 것을 기획할 정도의 위치에 있지 않다는 생각이 들어서죠.

시은님만 그런 게 아니에요. 많은 사람이 '이걸 해보면 진짜 재미있겠다'고 생각은 하지만 막상 그 생각을 꺼내지 않고 일상을 지속해요. 반짝이는 걸 가지고 있으면서 재미없는 일상에서 누워있는 사람이 너무 많죠.

그런데 기획과 실행 자체는 시간이나 에너지가 그다지 안 들어요. 차라리 할까 말까 고민하는 과정에서 더 소모되죠. 물론 제가 이렇게 왕성한 활동을 하는 건 타고난 에너지가 많기 때문인데요. 재작년쯤 갑자기 기획이 두려워지고 더 적절할 때 해야한다는 생각에 사로잡힌 시기가 있었어요. 그러니까 언제 에너지가 많았냐는 듯 꼼짝없이 집 안에 누워있게 되더라고요.

제가 드리고 싶은 조언은, 일상과 비일상을 마치 처음부터 분리된 양 생각하지 말라는 거예요. '봄알람'이 일을 하는 방식을 예로 들면, 갑자기 튀어나온 아이디어를 일상적이지 않다는 이유로 무산하지 않고 구체적인 계획을 세워요. 〈유럽 낙태 여행〉 아이디어도 블라디보스토크 술자리에서 우연히 나왔지만 이 아이디어를 지나치지 않았고 한국으로 돌아오자마자 비행기표를 끊었어요. 대학원을 다니며 활동을 하던 중이었기 때문에 여유는 없었지만 방학에 다녀왔어요.

물론 프리랜서여서 가능한 면도 있지만 온전히 확보되는 시간이 주어질 때까지 유예하지 않았기 때문에 할 수 있었다고 생각해요. 비일상으로 나가려면 중차대한 무언가가 있어야 한다고 생각하기 쉬워요. 하지만 일상이랑 비일상은 원래 섞여 있어요. 비일상으로 여겨지는 새로운 방향으로의 전환을 주저하지 마세요.

봄알람 이야기를 읽다 보면 '어쩌다 보니 하게 됐다'는 말이 많이
나오더라고요. 그래도 사업을 정할 때 규칙은 무언지 궁금해요.

> 기본적으로 규칙이 없는 게 규칙이에요. 섬세하게 규칙을 정해
> 놓으면 움직일 수가 없으니까요. 제 경우에는 그 아이디어가
> 더욱 적절한지 생각하는 데 집중해요. 큰 출판사에서는 출판
> 과정에서 결정할 게 많아서 '너무 좋은 아이디어인데?' 하면서도
> 작업 시간이 2년이 넘곤 해요. 그런데 우리는 "그래?", "좋네",
> "내자!" 이렇게 되는 경우가 흔해요. 첫 책으로 자본이 좀
> 마련되어 실험을 많이 할 수 있었던 것도 있고, 한편으로는
> 유연하게 해야한다는 생각을 공유하고 있어서 그런 것 같아요.
> 그리고 다른 부분에는 무게를 빼요.

출판 외에도 다양하게 콘텐츠를 확장하고 계신 것 같은데 구체적인
시도들을 듣고 싶어요.

> 이전까지 쌓아 두었던 이야기에서 한 발 더 뻗어 나가는 방식을

시도하고 있어요. 글쓰기 수업이 그런 사례죠. 일단 제가 쓰고 옮긴 다섯 권의 책을 가지고 독자들을 만나요. 5권의 책을 하나로 엮어 총체적인 관점을 형성하게 한 다음, 각자가 쓴 글로 서로 소통하는 방식이에요.

연극을 좋아해서 관객들과 즉흥적인 호흡을 통해 끌고 가는 걸 해보고 싶었는데 저는 글을 쓰니까 그걸 매개로 해보고 있어요. 글쓰기 수업에서는 많은 부분이 즉흥적으로 결정돼요. 예를 들어 A반, B반으로 분반 수업을 하다가 마지막 수업은 함께 하기로 했어요. 처음부터 계획했던 것은 아니지만 작은 결정들을 바꿔봤어요. 많은 경우에는 바꿔도 괜찮거든요. 물론 정신없이 바꾸면 안 되겠지만 어느 정도 운용을 해보면서 되는지 안 되는지 감각해 나가야 하잖아요. 삶은 기본적으로 움직이는 속성이 있으니까요.

영상으로는 진출할 계획 없으신가요? 〈유럽 낙태 여행〉도 책으로만 나온 게 아쉬운 생각이 들었어요.

아직은 비밀이지만 진출 계획이 있고 제법 가까운 시일 내에 성사될 것 같아요. 그런데 이 작업도 제가 해왔던 작업들과 결국은 같다고 생각해요. 무언가를 전달하는 방식을 이전까지

줄글로 했다면 이제 시각적인 요소, 영상으로 하는 것이 다를 뿐이죠. "글 쓰던 사람이 영상으로 간다고?"하고 의아해하는 반응도 있겠지만 저는 다 연결되어 있다고 느껴요.

저는 새로운 것을 시도하려면 전문적인 지식이나 기술을 배워야 한다고 생각해요. 최근까지의 고민은 '연출이 하고 싶은데 어디로 가서 배워야 하지?'였어요. 동아리에서 부딪히며 해보거나 유튜브에서 찾아보기도 했는데 '한예종(한국예술종합대학)에 가야 하나?'라는 고민은 떠나지 않더라고요. 고민에 머무는 나 자신을 보니 그만큼 연극과 뮤지컬을 좋아하지 않는 것은 아닐까 생각도 들었고요.

물론 기술을 배우면 좋죠. 저도 영상을 할테니 영상 언어를 습득하자고 생각하고 있어요. 하지만 이런 스킬은 해보다가 필요한 도구예요. 일례로 사람들은 다큐멘터리 PD가 되고 싶다고 생각하면 갑자기 다큐멘터리 학교에 간단 말이에요. 물론 그럴 수도 있죠. 그렇지만 통로라는 게 안에서 뻗어 나가야 되는데 그 유기성을 놓치고 적합성을 찾아가는 선택을 하는 경우가 많아요. 그 적합성이 다 잘못된 건 아니지만 접근법을 다시 한번 생각해볼 필요가 있는 거죠.

학교에서 '페미니즘의 이해' 수업을 들을 때 "여자들은 100%를 할
수 있어도 60%라고 말하고 남자들은 60%를 할 수 있어도 120%라고
말한다"는 통계를 봤어요. 내가 늘 망설이고 두려워하던 이유가
이해되기도 하면서 한편으로 화가 나더라고요. 여성 서사를 이야기하고
싶다는 생각에 확신이 생긴 계기였어요. 그때 주변의 다른 여자들은
어떻게 살고 있는지 궁금해져서 관찰했어요. 남자들은 창업한다며
활개를 치고 있는데 여자들은 어떤 회사든 취직만 되면 좋겠다고
생각하는 경우가 많았죠.

여자는 자신이 불충분한 존재라는 생각을 많이 해요. 그런데
여성들이 진짜 해야 할 준비는 자기에 대한 승인을 자기가
내리는 거예요. 통번역대학원에서 많이 들었던 말이 '출판
번역을 하고 싶으면 출판사에 연락하라'는 거였어요. 그런데
여성들이 이걸 잘 못 해요. 일단 출판사에 연락하면 답신이
오는데 말이에요. 많은 여성들은 '내가 누군지 알려주기 위해서
뭘 더 배워야 할까? 아직 배움이 미흡하니 그 부분을 채우고 나서
출판사에 연락해야겠다'고 생각하죠.

그에 반해 남자들은 그냥 연락을 하고 자신을 드러내죠. 그럼
존재가 드러나고 기회를 얻게 돼요. 스스로가 활로를 뚫지
않으면 안 돼요. 물론 이 발언은 여성 개인과 남성 개인에게

기회를 얻고 잃는 책임이 있다는 게 아니라, 성차별이 단순히 고용 여부를 결정하는 과정뿐만이 아닌 자신을 드러내는 토양 자체를 만들었다는 뜻이에요. 여성들은 결코 불충분하지 않아요.

작가님도 일을 얻을 때 자신을 계속 드러내시나요?

이제는 제가 하고 싶은 일을 이야기할 때 반겨주는 사람들과 기회가 많아졌어요. 하지만 아직도 먹고 살 걱정은 해요. 일을 왕성하게 하고 있지만 출판업계는 늘 불황이라는 수식어를 달고 있고 페미니즘이라는 주제가 언제 사그라들지도 모르니까요. 고민을 하다가 알고 지내는 편집자분들께 연락을 해요. "이번에 좋은 책 있어요? 밥 한번 먹어요"하면 상대방도 반가워하세요. 협업할 수 있는 동료를 확보한 셈이니까요. 그런데 여성들은 이 과정 자체를 많이 두려워해요. 여성 스스로가 다른 여성, 혹은 타인과 직접 연결한 경험이 부족한 것도 이유일 거예요.

작가님의 책 〈탈코르셋 : 도래한 상상〉에서 "응시되는 자에서 응시하는 자로의 위치이동"이라는 대목을 보고 감명받았어요. 작가님은 응시하는 자로서 어떤 시선으로 무엇을 보고 계신가요?

저는 어릴 때부터 늘 응시하는 자였던 것 같아요. 세상에 재밌는 게 많잖아요. 그래서 항상 보고 싶은 것이 많았어요. 저 친구 재밌네, 이 친구랑 밥 한번 먹고 싶다, 저 친구랑 커피 마셔야지. 한 여성을 하나의 통로로 생각하면 얼마나 다양한 통로가 존재하고 재밌는지 몰라요.

학부 때는 지금보다 에너지가 훨씬 많아서 어떤 날에는 하루에 6명씩 만났어요. 그 사람들하고 시간 때우려고 만나는 게 아니고 '너는 누구니' 이런 걸 엄청 물어보는 거예요. 세상에 궁금한 게 많았고 그걸 지금 같은 '일'이 아니라 주변에서 만난 여자들과의 대화로밖에 해결할 줄 몰라서 그랬기도 해요. 그러다 보면 이야기가 많이 나오고, 거기서 연결점이 생기고, 새로운 면도 발견하죠. 그런 시간들 덕분에 듣는 능력이 발달했어요.

〈탈코르셋〉을 읽고 난 무얼 보고 있었나 생각해 봤어요. 학교 가는 길에서 뭘 봤는지 떠올려보니 기억이 잘 안 나는 거예요. 오늘 내가 어떻게 옷을 입었는지, 다른 여자들이 화장 어떻게 했나 봤더라고요.

에너지라는 게 양립 가능하긴 하지만 한편으로는 선택을 해야 돼요. 나에게 꽂힌 타인의 시선을 감지하다 보면 내 시선인데도 타인의 시선에 동일시돼요. 그러는 동안에는 내 시선으로 바깥을 바라보기 힘들죠. 눈을 뜨고 있으니 분명 바깥을 보고 있는 게 맞지만 시선을 어디에서 어디로 향하게 해서 어떤 장면을 각인할 건가는 또 다른 문제거든요.

저는 계속 보면서 살아왔으니 선명한 장면과 서사를 많이 가지고 있는데, 요즘 많은 여성들이 자기에게 담겨있는 장면이 별로 없어요. 대화할 때도 마찬가지예요. 어떻게 들릴지만 신경 쓰게 되면 똑같이 자신의 입과 목을 이용해서 대화를 나누는데도 '상대를 거스르지 않는 말이 뭘까', '해야 하는 반응이 뭘까' 중심으로 이야기가 만들어지거든요. 그러면 상황을 윤활하게 만들어주는 역할만 하게 될 위험이 있어요. 시선은 중요해요. 드러내야죠.

앞으로 더 이야기하고 싶은 여성 문제가 있나요? 출판사 '봄알람'의 계획과 작가님의 계획을 구분해서 말씀해 주세요.

지금 저에게는 레즈비언 섹슈얼리티가 이슈예요. 여성의 경험과 여성과의 관계를 분석하고 싶어요. 그 경험과 관계가 의미를 지니기 위해서 어떤 과정을 거쳐야 하나, 언제 어떤 여성이 여성과의 관계를 의미화시키나 분석해 보려고 해요. 여성 간의 관계가 제 주요한 주제가 되겠죠. 봄알람은 책을 많이 내게 될 거예요. 곧 나오는 게 한 권 있고[1] 기획한 것도 몇 권 있어요. 개인적으로 요즘 사활을 걸고 있는 건 논문과 글쓰기 수업이에요. 글쓰기 수업은 이제 광주로 가요. 지역과 서울 간의 문화적 자원 격차에 관심이 많아요. 물론 그 구조적인 불평등을 제가 혼자 해소할 수는 없겠지만, 서울에서 장을 여는 대신 제 한 몸을 움직여 다니면 어떤 사람들에게는 그 장이 대번에 가까워지니까 그 점을 염두에 두면서 움직이려고 해요.

---

1   2020년 3월 출간한 <김지은입니다>(김지은 저)

"

글을 쓰고 싶다고
창작을 더 배워서
똑똑한 학생이 되려고 하지 말고
오리지널리티를 가진
창작자가 되기를
시도해 나가세요.

"

마지막으로 비슷한 길을 가고자 하는 후배들, 이 영역에서 일하고 싶어 하는 20대 여성들한테 해주고 싶은 말이 있다면요?

다 알아서 잘할 거예요. 능력은 다 있으니 역량을 기르는 게 문제가 아니에요. 글을 쓰고 싶다고 창작을 더 배워서 똑똑한 학생이 되려고 하지 말고 오리지널리티를 가진 창작자가 되기를 시도해 나가세요. 똑같은 창작 교실에 등록했다고 해도 그 차이는 은근히 크고 여성들에게는 전자가 훨씬 쉽게 느껴져요. 내 창작을 만들어 가는 데 필요한 건 문을 두드리는 거고 그냥 쓰는 거예요. '난 언제 잘 쓸 수 있을까, 잘 쓴 걸 읽어보자' 하며 계속 읽기만 하지 마세요. 여성 창작자들이 이미 너무 너무 똑똑한데 자꾸 그 똑똑함만 더 키우면 되는 줄 알아요. 자기 속에서 뱅뱅 돌아요. 잘못하면 그 에너지가 내파되어 오히려 자기를 해쳐요. 그러면 안 됩니다.

이민경 작가와 인터뷰를 마치고 함께 점심식사를 했다. 다음날 GV에 초대 받아 뒷풀이까지 참석했다. 그리고 며칠간 혼란스러운 시간을 보냈다. 다 알 것 같기도, 이전과는 다른 그림을 그리자니 전혀 알 수 없기도 했다. 나는 대체 어떤 콘텐츠를 만들어야 하는가? 그 답은 아직 미지수다. 그러나 이제는 눈에 힘을 주어 세상을 바라보겠다는 용기가 생겼다. 몸의 미세한 움직임을 억누르거나 참지 않기로 했다.

인터뷰 몇 주 후, 프랑스 세자르 시상식에서 아동 성범죄자인 로만 폴란스키가 감독상을 수상했고, 크리스토프 뤼지아 감독에 대한 미투 고발자이자 영화 〈타오르는 여인의 초상〉 주인공이기도 한 배우 아델 에넬이 시상식장에서 자리를 박차고 나갔다. 이민경은 가만히 있지 않았다. '소리 내어 아델을 읽기'라는 프랑스어 강독 클래스를 열었고

수강생들과 그 사건에 대해 입으로 여러 번 소리 내어 기억했다. 아델 에넬에 대한 연대는 각자의 마음속에서만 끝나면 안 된다는 거였다.

그 클래스에 참석한 나 또한 가만히 있지 않기로 했다. 같은 텍스트를 가지고 프랑스어 스터디 모임을 만들었다. 아델 에넬로 시작해 다양한 프랑스 페미니즘 이슈를 공부하는 모임이다. 그렇게 나는 내 나름의 방식으로 '시선이 가는 방향'을 따라가고 있다. 여러 방면의 고민 없이 그냥 하면 된다는 것을 감각해 나가고 있다.

나는 아직 23살이고, 아이유가 그의 노래 '스물셋'에서 말했듯 내가 어떤 사람인지 사실은 나도 모른다. 대학원에 진학해야 할지, 방송국 취업을 준비해야 할지, 공연계에 뛰어들어야 할지. 무엇이 더 현실적인 선택인지, 어떤 길이 더 안정적일지 고민하는 것은 알맹이 없이 허공에 손짓을 하는 것 같았다.

나는 여성의 이야기를 하고 싶고 여러 사람들과 함께 재미있는 일을 하고 싶다. 우선 이러한 열망을 구체화하고 그 다음에 외부 조건들과 맞춰 나가자는 생각이 들었다. 나는 앞으로 창작자가 될 수도, 그렇지 않을 수도 있다. 그러나 그와 나눈 대화가 내 몸에 새긴 감각은 오래 함께할 것이다.

예술산업 세계가 궁금한
백선호가 만나다

내게는 미술을 전공하고 한때 영화감독을 꿈꿨던 어머니가 있다. 어릴 적 학교에서 돌아오면 거실은 늘 엄마의 작업실이 되어 캔버스와 물감들로 어지럽혀져 있었고, 주말마다 온 가족이 모여 함께 영화 보는 시간은 우리 가족만의 오랜 전통이었다. 나는 언제나 책보다는 물감과 크레파스를 가까이했고, 내가 태어나기 훨씬 전 만들어진 흑백의 고전 영화를 보며 감동받곤 했다. 훌쩍 커버린 지금도 당시 설렘과 행복이 여전히 마음속에 생생하게 살아있다.

그때부터 지금까지 나는 변함없이 영화를 사랑하고, 그림을 좋아하고, 예술을 동경해왔다. 하지만 내게 당장 누군가 취미를 묻거나 좋아하는 일을 선택하라고 하면 대답하기 꺼려진다. 나는 그저 '잘 모르겠어요.' 혹은 '아직 모르겠어요.'라는 모호한 대답으로 질문을 피하곤 한다. 그 바탕에는 두려움이 크다. 내가 다른 사람들보다 영화적 지식이 풍부하지 않고, 디자인을 공부해본 적도 없으며, 심지어 재능도 부족하다는 생각이 나의 꿈을 오롯이 드러내기 어렵게 만든다. 더욱이 나의 전공과는 거리가 먼 분야였기 때문에 선뜻 도전할 용기가 나지 않았다.

그런 내게 이번 인터뷰 프로젝트는 일종의 궁금증을 해결해주는 계기였다. 과연 예술 분야에 종사하게 된다면 내게 주어진 과제는 무엇인지, 내가 마주할 환경은 어떨지 호기심을 안고 FDSC(페미니스트 디자이너 소셜클럽) 디자이너들과 영화사 오드AUD 김시내 대표를 만났다. 각자의 분야에서 고군분투하며 자신만의 발자취를 그려가고 있는 이 여성들에게 솔직하게 묻고 싶었다.

'저는 아직 많이 무서운데 어떻게 시작할 수 있을까요?'

1 FDSC (페미니스트 디자이너 소셜클럽)
신인아 · 우유니 · 양민영

\# '더_활발히_활동하고_더_많이_벌고

\# 더_높이_올라가고_더_오래_일할_수_있도록

\# 내_작업에_대한_자부심을_갖자_

\# 자율적이고_느슨한_규칙을_갖춘_운영_방식

FDSC(페미니스트 디자이너 소셜클럽)는 2018년 7월, 페미니스트 여성 그래픽 디자이너가 '더 활발히 활동하고, 더 많이 벌고, 더 높이 올라가고, 더 오래 일할 수 있도록' 서로 돕는 취지에서 시작되었다. 온·오프라인에서 활발한 소통을 통해 유용한 정보를 공유하고, 정당한 노동 환경을 구축하기 위한 활동을 추진한다.

200여 명의 여성 그래픽 디자이너들이 만들어내는 시너지는 엄청나다. 온라인 플랫폼 슬랙을 활용해 지식인 채널, 구인 채널, 중고나라, 소식 전달 채널 등 소통 창구를 만들었다. 다양한 일터에서 각자의 방식으로 일하는 여성 디자이너의 이야기를 공유하는 팟캐스트 '디자인 FM'과 SNS를 통해 FDSC 회원 디자이너들의 작업물을 소개하는 '페디소(페미니스트 디자이너를 소개합니다)'와 같은 프로젝트도 진행한다. 공통 관심사 기반 소모임과 각종 오픈데이가 정기적으로 열리면서 FDSC 모임을 더욱 풍성하게 해준다.

FDSC 설립 운영진 그래픽 디자이너 신인아, 우유니, 양민영을 만났다.

FDSC에 대한 아이디어는 처음 신인아님이 트윗한 게 계기가 되었다고
들었어요. FDSC를 만들게 된 직접적인 이유는 무엇인가요?

신인아: 제가 큰 뜻 없이 트위터에 '여자 디자이너들끼리 정보
공유하는 모임이 있으면 좋겠다'는 글을 올렸어요. 그런데 그게
리트윗이 엄청 많이 됐죠. 두루뭉술하게 썼기 때문에 사람들이
디엠을 많이 보냈어요. 예를 들어, 패션 디자이너인데 패션
디자인 정보를 공유하고 싶다고 연락이 왔죠. 그래서 '아, 내가
뭔가를 잘못 올렸나 보다' 생각했는데 그때 우유니, 양민영처럼
그래픽 디자이너 몇 분이 관심을 보여줘서 모이게 됐어요.

네 분은 그전에도 친분이 있으셨나요?

신인아: 다 따로 만났어요. 우유니는 제가 진행한 인터뷰
프로젝트 인터뷰이로 처음 만났고, 양민영은 역으로 저에게 글
청탁을 해주어서 처음 알게 되었어요. 김소미는 트위터에서
이것저것 함께 욕하며 구독하는 사이였고 실제로 만난 건 여성

디자이너 정책 연구 모임인 'WOO'를 통해서였어요. 우유니, 양민영, 김소미 모두 제가 올린 트윗에 반응을 보인 그래픽 디자이너들이었고 그래서 '일단 만나자!' 했죠. 실제로 처음 오프라인으로 만났던 건 혜화에서 불용(불편한 용기)'시위가 열린 첫 날이었어요.

트위터 글로 출발한 아이디어가 커져서 현재 200여 명 규모의 조직이 된 거네요. 신기해요.

신인아: 처음 모였을 때만 해도 정말 뭐가 될지 몰랐어요. 10인 정도 규모의 소모임을 생각했기 때문에 오히려 뭔가 거창해 보여야겠다 싶어서 '국제 그래픽 디자인협회'나 '한국디자인협회' 같은 이름을 지으려고 했던 기억이 있어요. '한국페미니스트협회' 사진을 보면 한두 분 빼고 다 할아버지들이 죽 앉아있는데 그걸 떠올리기도 했었죠.

우유니: 그런 식으로 포괄적이면서 규모가 있어 보이는 이름의 단체인데 만약 구성원이 다 여자라면, 그 낯선 장면에서

---

1 2018년 5월부터 12월까지 혜화역 일대를 시작으로 6차례에 걸쳐 '불편한 용기' 주최로 열린 '불법촬영 편파수사·편파판결 규탄' 시위

빚어지는 효과가 있지 않을까 싶었어요.

신인아: 그런 재밌는 것들을 생각하다가 FDSC(페미니스트 디자이너 소셜클럽)가 되었죠.

미대 재학생 다수가 여성임에도 각종 매체에 등장하는 그래픽 디자이너들은 대부분 남성이고 그들의 창작물을 우리는 접하고 소비하는 것 같아요. 과연 디자이너를 꿈꾸는 수많은 여성을 가로막는 장벽은 무엇인지 궁금해요. 디자인 업계에 여성의 진입 장벽이 높은가요?

신인아: 진입은 할 수 있어요. 그런데 야근에 박봉이 너무 당연시되고 5년쯤 버티면 정신적으로나 신체적으로 한계에 다다르기 시작하죠. 그 시기가 또 '너 결혼 안 해?' '너 그 돈 벌고 그 고생할 거면 결혼하지?!' 이런 소리 듣기에 딱 좋은 나이이기도 해요. 그때 남자 동기와 나의 격차를 보는 것 같아요. 디자인 회사가 대부분 소규모이다 보니 회사에서도 더 이상 승진이 어려운 구조가 되는 경우도 많아요. 예를 들어 5~6명이 일하는 회사일 때, 대리에서 팀장까지는 가겠지만 그 위에는 그 회사를 창립한 대표님들이 계시단 말이죠. 더 이상 승진이 어려운 구조죠.

**구조적인 문제 외에도 여성 디자이너와 남성 디자이너의 격차가
고착화되는 이유가 있을까요?**

신인아: 실은 '그냥'이에요. 그냥 원래 그렇게 했던 거라서.
우유니: 성차별에 합리적인 이유는 없어요. 그냥 당연한 것처럼
이미 굳어져 있어요.

신인아: 남성 실장과 여성 주니어 디자이너 조합은 자주 볼
수 있고 매우 익숙하죠. 그러다 여성 실장과 남성 주니어
디자이너의 조합을 보면 신선해 보이는 정도랄까?
양민영: 기회가 주어지는 것에 차이가 있겠죠. 여자들에게도
도전하고 실패해볼 기회가 필요한데 기회를 박탈 당하는 거죠.

우유니: 가령 여자와 남자 둘이 같은 지분을 가지고 창업을 하는
경우가 있어요. 이럴 때 공동대표여도 남성만 대표인 것처럼
주목받는 경우도 많고, 성별 고정관념에 따라 역할을 다르게
가져가는 경우도 있어요. 중요한 발표를 남자가 맡거나, 여자는
인쇄소 등의 거래 업체에 요구 사항을 부드럽게 전하는 역할을
맡는 경우도 봤어요. 혹은 실질적 공동대표이지만 대외적으로
남자는 대표, 여자는 실장으로 직함에 차등을 두는 경우도
있고요.

과거 각자 회사를 다니면서 혹은 프리랜서 디자이너로 일하면서 겪었던 어려움은 어떤 게 있을까요?

우유니: 저는 작은 기업에서 인하우스 디자이너로 일하면서 다른 남직원에게 실제로 성희롱 발언을 들은 적도 있어요. 결국엔 제가 그 사람이 제 발로 회사를 나가게 만들었지만요. '칙칙한' 남자들 사이에 끼어 분위기를 밝혀줄 꽃 취급 당한 적도 있었고, 성 역할 고정관념이 담긴 말이나 외모 평가도 숨 쉬듯 들었어요.

양민영: 결정적인 사건이나 경험이 있지는 않아요. 오히려 일상에서 공기처럼 존재하는 차별을 경험하죠. 언어화 하기도 너무 사소해서 '내가 이렇게 생각하면 오버인가? 예민한가?'라고 오히려 스스로를 검열하게 만드는 그런 일상적인 차별들을 겪는 것이죠.

그렇게 노골적이지는 않군요?

신인아: 디자이너들은 대부분 자기가 진보적이라 생각하기 때문에.

양민영: 디자인 업계는 자기 나름대로 깨어있다고 생각하는 사람들이 많아요.

일하면서 클라이언트 혹은 그 외 다른 분야 사람들과 많은 교류가 필요한 직종인 만큼 디자인 업계 내부만의 문제는 아니라는 생각이 들어요.

신인아: 디자이너들끼리 인쇄소 이야기를 진짜 많이 했어요. 인쇄소에 제작 감리를 가면 그곳 기장님이나 사장님들과 일종의 기싸움을 한달까요? 무시당하지 않으려고 몰라도 일단 아는 척을 한다든가!

우유니: 아니면 아예 애교를 부리든지. 둘 중 하나에요.

양민영: 프리랜서 디자이너들은 대부분이 생각하는 '어른 여성'처럼 입고 다니거나 말하지 않는 경우도 있는데 경력이 오래된 디자이너이더라도 막 졸업한 학생 취급을 하는 경우도 더러 있어요.

신인아: 인쇄소 입장에서 생각해보면 디자이너가 초짜처럼 보인다? 그럼 내가 다 가르쳐야 하는 귀찮은 손님이 되는 거죠. 대기업이나 에이전시 이름을 달고 오지 않는 이상은요. 저는 거래처 사장님한테 제가 계속 이 일을 하는 사람이라는 걸 인정받기까지 한 5년은 걸린 것 같아요.

양민영: 여자들은 인정받기가 훨씬 어려워요.

신인아: 그 턱이 훨씬 높아요.

결국 이와 같은 현실이 페미니스트 디자이너들을 자연스럽게 혹은 필연적으로 FDSC로 이끌었던 것 같아요. 자발적으로 모여 자율적으로 운영되는 커뮤니티임에도 정말 많은 일이 일어나죠.

신인아: 현재 200여 명 정도가 있는 곳이에요. 회원들이 필요한 게 있으면 그 당사자 스스로가 일을 벌리니 당연히 활동이 많아

보일 수밖에 없죠.

이와 같은 다양한 활동들이 체계적으로 운영되기 위해서는 일정 역할 분담이 필요할 것 같아요.

> 신인아: 지금 운영팀이 19명 정도 따로 있어요. 운영팀에는 운영 전반에 관련한 일을 맡아 하는 사람도 있지만 '디자인FM(팟캐스트)', 'FDSC.txt(블로그)' 등과 같은 큰 프로젝트를 담당해 운영하는 사람들도 있어요. 프로젝트에 참여하는 팀원들이 또 따로 있고, 각 팀은 각자의 상황에 맞게 짜여 굴러가고 있어요. 그 외에 단발성 소모임도 열리고요.

그럼 소모임은 아무나 자유롭게 열고 참여할 수 있는 건가요?

> 양민영: 가이드라인이 있어요. 디자인과 관련된 것은 대체로 가능하고요.

> 신인아: 그냥 친목 다지기는 지양하려고 해요. '여기는 여자가 있고 페미니스트이고 디자이너인 사람들인 모인 곳이니 이걸 적극 활용해라'라고 해요. 그래서 혹시 뭘 먹으러 가고 싶어도 예를 들어, '강원도의 이 감자를 먹으면 디자인을 잘하게 된다'

꼭 이렇게 구실을 만들어 만나면 좋겠다고.

여러 소모임 중 눈에 띄었던 게 운동 소모임이었어요. 디자이너들이 일을 오래, 잘하기 위해서 실질적으로 건강을 챙기도록 기획했다는 점이 새롭고 재밌었어요.

신인아: 첫 오픈데이가 열린 날 참석했던 이예연 디자이너가 자유 발언 시간에 '제가 제일 뒤에 앉아있는데 여러분들이 다 거북목이다. 우리가 이대로는 오래 일할 수 없다'라고 말씀하신 것이 계기가 되어서 생긴 첫 소모임이에요. 처음부터 지금까지 계속 일주일에 한 번씩 돌아가고 있어요.

FDSC 가이드라인 조항에는 어떤 것들이 있나요?

신인아: 외부에서 재밌게 봐주시는 부분은 최소한 소진되는 느낌이 없도록 활동비를 조금씩이라도 챙겨주려고 한다는 점인 것 같아요. FDSC 내/외부 모임은 대부분 유료예요. 예를 들어 소모임을 연다고 해도 참가비 3만 원씩을 받고, 적어도 주최자가 5만 원에서 10만 원을 가져갈 수 있도록 하는 식으로요. 자발적으로 하고 싶어하도록 고민을 많이 했어요.

우유니: 활동비도 있지만 모든 활동에 항상 크레딧을 명확히 표기해서 누가 어떤 노력과 수고를 했다고 회원들에게 알리죠. 그리고는 또 모두가 함께 격려하고 박수쳐주고 따뜻한 반응을 해준다는 점도 활동하는 데 긍정적인 원동력이 되는 것 같아요.

'제대로 돈을 받고 제대로 일하자'라는 FDSC의 운영 모토와 어울리네요.

신인아: 그래도 5만~10만 원이 큰돈은 아니죠. 예를 들어 웹디자이너인 이자인 디자이너가 'FDSC 웹사이트 왜 없어요? 만들어 보고 싶어요!'라고 하셔서 다섯 명 정도 되는 팀을 꾸려서 하고 계세요. 아무리 저희가 애를 써도 웹디자인 프로젝트에 필요한 비용을 제대로 책정하여 드리긴 어려운 상황이죠. 그래서 대신 매 모임마다 각자 공유하고 싶은 지식을 한 명씩 돌아가면서 가져오도록 해서 서로 어떻게 일하는지 또는 어떤 툴을 쓰는지를 서로 공유해요. 꼭 돈이라는 유형의 무언가가 아니더라도 참여를 통해 네트워킹을 한다든가, 지식을 얻어 간다든가 하는 식으로 구조를 짜는 거죠.

FDSC SNS 채널에서 진행되는 '#페디소(페미니스트 디자이너를
소개합니다)'라는 기획이 저는 인상 깊었어요. 다양한 페미니스트
디자이너들의 작업물이 한 곳에 아카이빙 되어있고 그분들의
포트폴리오를 일부 볼 수 있다는 점이 비전공자인 저로서도
흥미로웠거든요. 이를 기획하게 된 계기가 있을까요?

> 신인아: 남성 디자이너들은 자기를 알리는데 거리낌이 없어요.
> 여성 디자이너들은 디자이너로 일하면서도 '내가 디자이너인지
> 모르겠어요'라는 말을 많이 하는 경향이 보여요.
> 여성 디자이너들에게 포트폴리오를 만들고 알리는 최소한의
> 계기를 만들어주려고 만든 활동이에요.
>
> 양민영: 포트폴리오 정리는 디자이너들이 항상 미루게 되는
> 부분인데요. 페디소에 참여하는 것을 계기로 자료를 정리하기도
> 하고 페디소를 통해서 일이 들어오는 경우도 꽤 많다고 해요.

현재 개인 포트폴리오가 없는 분들도 많은가요?

신인아: 네. 포트폴리오 없는 분들이 더 많아요. 특히 회사에서 일하시는 분들은 이직할 때가 아니고서야 만들 필요가 없죠.

폐디소에 참여한 디자이너 몇 분을 소개해주실 수 있을까요?

신인아: 한 명을 집어서 말하는 게 좋은지 저는 판단이 안 돼요. 지금 제일 고민을 많이 하고 있는 게 FDSC라는 브랜드에 회원분들, 여성 디자이너들이 가려지는 거예요. 한 명만 집어서 홍보를 했을 때 다른 사람이 지워지는 것도 문제라고 생각해요.

양민영 : 작업은 다들 잘해요. 작업만 보고 멋있다고 느낀다기보다는 어떤 사람이 자기 커리어 안에서 어떤 일을 어떻게 해내는 과정이 더 인상 깊은 거 같아요.

개개인 디자이너들의 서사와 연대를 더 중요하시는 거군요.

양민영: 주변의 여자 디자이너들이 성장하는 걸 보는 게 저에게도 도움이 되고 참고가 되죠. 성취해 나가는 과정을 목격하는 것이 작업 하나를 보는 것보다 더 인상 깊은 것 같아요.

"

주변의 여자 디자이너들이 성장하는 걸 보는 게
저에게도 도움이 되고 참고가 되죠.
성취해 나가는 과정을 목격하는 것이
작업 하나를 보는 것보다 더 인상 깊은 것 같아요.

"

신인아: 저는 서로 작업 환경이 다 다른 것을 볼 수 있어서
좋아요. 예를 들어, 대표로서 직원 몇 명을 두고 일하는
디자이너와 동시에 혼자서 계속 디자인을 하는 디자이너를 볼 때
'그럼 나는 뭐가 더 맞을까?' 고민할 수 있잖아요.

**디자인 FM 외에 다양한 강연도 준비하셨는데 그중 신인아
디자이너님이 페미니즘 디자인을 주제로 강연을 하신 것도 인상
깊었어요.**

신인아: 페미니즘 디자인 관련해서 강연을 의뢰받았을 때 '그런
게 어딨어요'라고 답했어요. '요즘 페미니즘 책이 다 분홍색이고,
페미니즘 디자인이 이러면 안 된다' 혹은 '여성의 뒷모습을 많이
쓰는 경향이 있다'라는 분석이 있었는데, 저는 그게 디자이너의
의지가 반영된 것인지부터가 의구심이 들었어요. 마케터, 편집자
혹은 다른 관계자들의 의지가 반영된 것일지도 모른다는 생각이
들었거든요. 이런 상황에서 어떻게 페미니즘 디자인을 이야기를
해요. 디자이너들이 자기 전문성을 온전히 존중받고 그 역량을
발휘하지 못하는 상황이잖아요. 그런 면에서 약간 말하기조차
이른 상황이라고 생각을 해요.

일관된 페미니즘 디자인의 형식 혹은 상이 존재하지 않는다는 말씀이시군요.

신인아: 저는 일단 여성 디자이너들이 정당한 대가를 받고 능력을 온전히 발휘하면서 디자인을 많이 할 기회를 가지면 페미니즘 디자인이 나올 거라고 생각하거든요. 그 나오는 모양(디자인) 자체에서 경향성을 읽을 수는 절대 없다고 생각해요. 여성이 디자인을 해서 어떤 경향성이 있는 디자인이 나오는 사회라면 더 여성 혐오적인 사회 아닌가요? 디자이너마다 다 다르게 나오겠죠.

아무런 경향을 읽을 수 없어야 정상이라고 생각하고, 다만 페미니스트 디자이너들이 더 많은 발언권과 전문성을 보장받으며 일할 때 지금보다 훨씬 다양하고 새로운 디자인을 볼 수 있을 것이라 생각해요. 그래서 그때 이렇게 말했어요. "페미니즘 디자인을 보고 싶으시면 FDSC 통해서 페미니스트 디자이너한테 의뢰하십시오. 그리고 돈을 많이 가져오십시오"

우유니: 페미니즘 디자인이라는 경향성은 없지만 '여성' 하면 떠오르는 기존의 고정관념을 걷어내는 시도는 중요하죠. 예를 들어, 표현 대상의 성비가 남성에 쏠리지 않는지, 남성을 기본값으로 사용하진 않는지, 여성을 성적 대상화하지 않는지,

속눈썹이나 리본 등을 달아서 타자화하지는 않는지. 이런 식으로 성차별적인 표현을 점검해보는 일은 반드시 필요해요. 요즘엔 성평등 관점에서 디자인과 홍보물 등에 문제가 없는지 전문가에게 검토나 자문을 의뢰하는 경우도 종종 있어요.

디자인을 업으로 하는 것에 대한 제 가장 큰 고민이 '이 일로 과연 먹고 살 수 있을까'인 것 같아요. 워낙 돈 벌기 어려운 필드라는 고정관념이 깊이 자리 잡고 있으니까요. 이와 관련하여 진행하신 타운홀 미팅 이야기도 흥미롭게 접했어요.

신인아: 디자인계에서는 20~30년 동안 임금이 거의 한 번도 오르지 않았어요. 2018년 타운홀 행사에서 '적정단가'에 대해 이야기하는 자리가 있었는데 발언하신 분 중에 초봉이 1500만 원이라고 하신 분도 있어요. 지금 1500만 원 받는다는 건 최저임금도 못 받는다는 거잖아요. 우리가 그날 당장 초봉이나 임금을 올리는 뾰족한 수를 마련한 건 아니지만 그런 얘기를 까놓고 이야기하는 것 자체가 큰 의미가 있었던 거 같아요. 심지어 그 자리에 있었던 한 분은 실은 초봉이 되게 높았대요. 근데 남들이 1500만원 이야기하고 있으니까 자기 초봉을 말 못 했다고 하더라고요. 정신 차리게 더 충격 받게 말해주지(웃음).

양민영: 학생 때는 대기업과 작은 기업 연봉 차이가 이렇게 큰 줄 몰랐어요. 알았으면 대기업에 가보려고 노력이라도 했을 것 같은데(웃음). 어렸을 때는 마냥 작은 스튜디오 같은 곳이 멋있어 보였거든요. 생각해보니까 대기업을 가면 노트북도 한 달에 하나씩 살 수 있는 돈을 받는데, 저는 졸업하고 작은 출판사에 취직해 초봉으로 1800만 원 정도를 받았거든요.

향후 FDSC 계획이 궁금해요. 짧게는 올해 하반기, 더 넓게는 향후 몇 년동안의 FDSC의 계획은 어떻게 되나요?

신인아: 일단 웹사이트를 제작하고 있고요.[2] 책도 출판될 거고 자체 블로그인 FDSC.txt도 하고 있어요.

FDSC 오픈데이[3]는 꾸준히 진행하시는 걸로 알고 있는데, 앞으로도 계속 규모를 넓혀 가실 건가요?

신인아: 오픈데이는 일 년에 두 번 개최하는 걸 목표로 하고

---

2   https://fdsc.kr/

3   FDSC의 운영방식을 공유하고 이에 동의하는 이들을 회원으로 모집하는 설명회

있어요. 저희가 회원이 많아지면 이론적으로는 좋지만 또 너무 많아지면 현재의 운영 방식이 적합하지 않기 때문에 천천히 인원을 늘려가며 적합한 방식들을 찾아가려고 해요. 들어와 있는 사람들이 만족하고 여기 계속 있고 싶은 정도여야 되는데, 누구든 원하는 사람이 문턱 없이 가입할 수 있는 방식이 공공적으로 보일지 몰라도 그런 커뮤니티는 보통 활동하는 사람만 하고 나머지는 그냥 들어와있거나 눈팅만 한단 말이죠. 그러다 활동하는 사람이 어느 순간 멈추면 그냥 그 커뮤니티의 생명이 끝나요.

저희는 오래가는 커뮤니티를 만들고 싶었고 그러기 위해 여러 장치도 두고 실험도 합니다. 또 겉으로 봤을 때 좋아 보이고 커 보여야 사람들이 '나도 페미니스트 돼서 페미니스트 소셜 클럽 들어 갈래'라는 생각을 하게 되잖아요. 그래서 밖에서 보면 약간 놀리는 거 같이 볼 수 있을 것 같아요. '가입을 어렵게 만들어 놓고 지들끼리 되게 재밌어 보이네?' 사실 그것은 전략이라는 점!

세 분이 정의 내리는 일은 과연 어떤 가치를 지닐지 궁금해요.
여러분에게 일은 어떤 의미인가요?

> 우유니: 저는 일을 굉장히 재미있어 해요. 이런 성향이 마냥 좋은
> 것인지는 모르겠어요. 사적인 생활에서도 일을 분리할 수가
> 없어요. 디자인 의뢰가 많이 들어오면 '사람들이 나를 찾는구나,
> 나 좀 괜찮구나' 싶다가, 일이 뜸해지면 존재가 흔들려요. 일에서
> 너무 큰 의미를 찾으려고 하는 것에 장단점이 있다는 것을
> 느끼게 되면서 그런 것을 내려놓고 일과 사생활의 밸런스를
> 찾으려고 노력하고 있어요.
>
> 양민영: 프리랜서들은 일이 많으면 많은 대로 혼자 하니까
> 힘들고, 일이 없으면 없는 대로 미래에 대한 걱정이 앞서고. 다른
> 성격의 스트레스가 계속 반복되는 것 같아요.

다른 분들은요?

신인아: 저는 '시민 디자이너'로 일하도록 교육받았어요. 그래서
저는 디자이너로 일하는 게 시민으로서의 역할을 한다는
감각도 있어서 사회에 어떤 영향을 미칠지 계속 고민해요. 그게
디자인에 대한 생각이라면 일 자체는 오래 하면 좋겠다? 그 정도
생각을 가지고 있어요.

예전에 거의 90세가 다 되신 할머님을 인터뷰한 적이 있는데
그분이 이발소를 하셨거든요. 매일을 재미있게 살아가는 이유가
매일 일을 하기 때문인 것처럼 보였어요. 매일 문 열 가게가
있고 손님이 있고, 그 사람들이랑 이야기도 나누고 하니까
무기력해지지 않고 활력을 찾는 거죠. 그거 보면서도 일을 꼭
계속해야겠다는 생각을 하게 됐어요.

양민영: 기본적으로 FDSC 운영진들은 일을 벌이고 같이
만들어나가는 것을 좋아하는 분들인 것 같아요. 막상 하면서
지치는 일도 있지만요.

세 분 모두 직업에 대한 만족도가 높으신 것 같아요.

신인아: 사실 조직에 있을 때 저는 거의 죽다 살아나서.

비교하자면 죽음과 고통의 차이랄까? 직장은 죽음이었다면 지금은 고통뿐이에요(웃음).

회사에서 사원으로 일할 때 어떤 점이 프리랜서로 일할 때보다 힘들었나요?

신인아: 저도 일을 잘하고 싶다 보니까 거의 한 달 내내 새벽 네 시에 퇴근해서 아침 열 시에 출근하곤 했어요. 그러니까 사람이 죽죠. 정신도 나가고 몸도 성하지 않고. 그리고 회사를 나오니까 살 것 같고 행복해졌는데 돈이 없어졌어요. 그래서 또 다른 타입의 고통이 시작됐죠 .

정말 상상할 수 없는 업무 시간이네요. 야근을 당연시하는 업계 문화가 있는 것 같아요.

신인아: 야근을 하는 걸 열정이라고 생각하는 게 학생 때부터 있거든요. '나 야작했고 며칠 밤새워서 이거 했고'처럼요. 그 관점을 바꿔야 해요. '사람의 뇌라는 게 지치는데 혹시 자면서 했다면 더 빨리 끝내지 않았을까?' 이런 생각의 전환이 필요해요. 우유니: 효율적으로 했다는 걸 자랑으로 여겨야 하는데, 많이 아쉽죠.

양민영: 이걸 해내는 게 중요한 것이 아니라, 회사에서 일하는 것을 상사에게 보이는 게 중요한 것 같아요.

신인아: 지금 '야근 절대 안 해', '운동도 하고 건강히 살려고 열심히 노력해' 이런 말 하는 사람들은 다 한번씩 죽다 살아난 사람들이에요. 아직 안 죽어본 사람은 아직도 야근하고 밤새워서 일할 수 있고. 저희도 이런 우울한 일을 겪었기 때문에 저희 방식으로 각자 일을 벌이는 것 같긴 해요

마지막으로 저를 비롯해 비슷한 길을 가고자 하는 후배들, 특히 디자인 영역에서 일하고 싶어 하는 20~30대 여성들에게 해주고 싶은 말씀 있으시다면 한마디 부탁드립니다.

신인아: 네트워킹을 많이 해서 좋은 정보들을 많이 주고받았으면 좋겠어요. 정보가 굉장히 중요해요. 보통 소주 한 잔씩 하면서 좋은 정보들이 오가는데 그건 구식이고 남성중심적이니 여러분만의 방식으로 말이에요. FDSC에서 토크를 열었을 때 '여러분 이제 끝나고 가실 분들은 가고 더 남아서 말씀하실 분들은 하세요' 했는데 다 집에 갔어요. 그날 토크 주제는 네트워킹이었는데(웃음). 나는 그런 성향이 아니라고 생각하시면 다른 방식으로라도 꼭 사람들과 연결되어 있었음 좋겠어요.

양민영: 이런 질문이 항상 가장 어려운 것 같아요. 막연히 긍정적인 대답도 막연히 부정적인 대답도 별로 하고 싶지 않습니다. 그냥 자기가 하고 싶은 것이 뭔지 잘 살펴보고, 남의 눈치 보지 말고 사세요. 저에게도 해주고 싶은 말입니다(웃음)!

우유니: FDSC에서 진행했던 대학생 대상 워크숍 '플래그하이[flag high]'에서 학생들이 자신감을 가졌으면 좋겠다고 느꼈어요. 자신의 작업에 대해 발표할 때 우선 목소리가 작고, 안 좋은 점을 먼저 얘기해요. 남에게 좋지 않은 평가를 받는 것이 겁이 난 나머지 차라리 본인이 먼저 변명을 해서 방어하려는 심리는 이해해요. 그래도 자신의 장점을 더 크게 보고 스스로를 인정해주었으면 좋겠어요.

신인아: 저도 그 워크숍에서 일부러 작업 과정을 SNS에 해시태그해서 올리는 걸 숙제로 했는데 끝까지 안 올린 친구도 있었어요. 사실 그게 뭐라고 그거 좀 올리면 어때? 생각해보면 별거 아니거든요. 사람들 다 1초 만에 지나가는 이미지인데. 한 학생은 수업 중에 '조금 뒤에 지울 겁니다' 이러면서 마지못해 SNS에 올리는 거예요. 그래서 댓글에 왜 여자답지 못하게 그러냐고 추궁했어요(웃음).

제가 많이 지적받고 스스로 문제의식 갖는 부분도 바로 그거예요. 자신감 부족과 자기검열. 특히 제 창작물을 평가받는 상황에 놓이면 부정적인 말을 들을까 괜히 미리 걱정하고 더 소극적이게 되는 것 같아요. 그런 점에서 말씀해 주신 충고가 제게 정말 와닿았어요.

신인아: 저는 디자인을 볼 줄 아는 사람이 한국에 얼마 없다고 생각해요. 그래서 내가 아무거나 올리고 '이거 되게 잘한 건데. 내가 한 거야'라고 말하면 대부분 사람들이 '오, 디자이너님 진짜 멋져요'라고 반응하는 것 같아요. 무언가 올리기 부끄럽거나 아직 부족하다고 느끼는 분들께는 그럼 어떤 디자인을 하면 올릴 수 있는지 역으로 묻고 싶어요. 도대체 얼마나 잘해야 하는지. 만약에 부족한 작업을 올렸을 때 뭐 얼마나 큰일이 생길까요? 올려보면 별일 안 생길 걸요? 작업 업로드하는 것도 일이에요. 그냥 작업을 했다고 올릴 수 있는 것도 아니고 그걸 어떻게 보여줄지 고민하고 세팅하는 과정이 필요하죠. 그래서 일단 많이 올려보고 알려보는 경험이 중요하다고 생각해요. '내 작업을 잘 보여주는 연습을 한다' 이런 마음가짐으로요. 당장 '좋아요' 만 개 받고 그런 일은 보통 안 일어난다는 걸 기억하고!

양민영: 요즘은 SNS에 없으면 거의 없는 사람처럼 인식되는 것 같아요. SNS에서 자기 PR을 잘하는 분들이 있는가 하면

그렇지 않은 분들도 많아요. 원래 자기를 잘 드러내는 편이라 이걸 즐기고 잘하면 좋지만 그렇지 않다면 자기만의 방식을 고민해보는 것도 좋은 것 같아요. 그렇지만 프리랜서처럼 SNS를 통한 자기 홍보가 선택이 아닌 필수인 분들은 자기검열을 줄이고 적극적으로 해야 하는 건 맞는 것 같고요. 스스로 확신을 가지고 자신감 있게 자신을 홍보하는 사람에게 남들도 믿음이 가고 그래야 기회가 갈 테니까요.

우유니: 여자들은 '아직은 부족해서'라고 생각하는 경우가 많은 반면에 많은 남자들은 자신의 작업 결과물을 자랑스러워하며 인스타그램에도 잘 올리죠. 여자들은 자신을 드러내는 데 훨씬 더 뻔뻔해져야 해요. 설령 실제로는 자신감이 없더라도 자신감 있는 연기라도 해야 해요. 자신감 있는 척을 하면 자신감이 생기기도 하거든요. 자신감 있어 보이면 사람들의 평가도 달라지고 좋은 기회가 찾아오는 것은 물론이고요.

"

일단 많이 올려보고 알려보는 경험이
중요하다고 생각해요.
'내 작업을 잘 보여주는 연습을 한다'
이런 마음가짐으로요.
당장 '좋아요' 만 개 받고 그런 일은
보통 안 일어난다는 걸 기억하고!

"

'굳이 생활 디자인 복수 전공 안 해도 돼요. 불문학이라는 분야에서 배운 다양한 경험들이 디자인을 하는 데 오히려 도움이 될 거예요'

인터뷰가 끝나고 양민영 디자이너가 내게 해준 말이다. 그 말을 듣기 전까지 나는 전공이 일종의 걸림돌이라고 생각했다. 하지만 디자인과는 전혀 관련 없어 보이는 인문학 공부가 오히려 메리트가 될 수 있다는 말이 큰 용기가 되었다. 작은 생각의 전환이지만 그 말을 듣는 순간 나도 어쩌면 할 수 있겠다는 확신이 생겼다.

신인아, 우유니, 양민영 디자이너와의 만남 이후 더는 디자인 업계 현실이 마냥 두렵게만 느껴지지 않는다. 이들과 함께 연대한다면 충분히 헤쳐 나갈 수 있을 거라는 희망과 기대가 생겼다. 막막하고 답답해 보이는 현실에도 해결책이 있음을 확인했다. FDSC의 노력이 곧 세상을 바꾸는 힘이 되리라 믿는다.

2 오드AUD 대표
김시내

나만의_것을_찾기

1등이_아니어도_괜찮아

모두가_같은_걸음을_걸을_필요는_없다

우수한 다양성 영화를 국내 관객들에게 선보이는 영화 수입사. 그 중심에 영화사 오드^{AUD}가 있다. <문라이트>, <내 사랑>, <플로리다 프로젝트>, <킬링디어>, <나의 소녀시대>를 비롯해 다양한 장르의 웰메이드 작품이 김시내 대표의 손을 거쳐 국내 영화 팬들에게 전해졌다.

영화를 볼 때 좋아하는 배우 혹은 취향에 맞는 감독의 작품을 기준으로 선별하는 것처럼 나는 오드를 통해 배급되는 영화는 꼭 찾아보는 편이다. 일종의 취향 보증 수표랄까? 나는 오드의 작품을 관통하는 진솔함이 좋다. <문라이트>의 소년이 깊은 외로움과 슬픔을 이야기했다면, <플로리다 프로젝트>는 비통하지만 묵묵히 살아갈 수밖에 없는 현실을 보여주고, <나의 소녀시대>에서 풋풋한 첫사랑을 떠올리는 것처럼 말이다.

김시내 대표는 경제학과를 졸업하고 명품 홍보사, 영화 수입사 해외업무 등을 거쳐 지금의 영화수입사 오드를 설립해 10년 가까이 이끌어왔다. 적성과 전공을 어떻게 조율할지 고민하던 나는 김시내 대표가 무척 궁금했다.

현재 불어불문학과에 재학 중인데 사실 불문학 공부가 제 적성에 맞지
않아요. 입학 당시에는 '어학을 배워두면 살면서 언젠가는 도움이
되겠지'라는 막연한 생각에 지원했어요. 당장 3학년이 되어서 드는
고민은 직업을 선택할 때 전공을 살려야 할지 말지 결정하는 거예요.
대표님은 대학 졸업 후 경제학 전공과는 큰 연관성 없는 직업을
택하셨는데요. 이유가 있을까요?

경제학과 나와서 좋은 회사에 가더라도 제가 거기서 이루고
싶은 목표가 없었어요. 증권사 가서 돈 잘 버는 유능한 팀장이
되고 싶지는 않았거든요. 명품 홍보 대행사를 그만둔 이유도
그들의 타깃은 너무나 한정적이었기 때문이에요. 연예인 혹은
VVIP를 위한 행사를 준비하는 회사였거든요. 너무 화려하니까
처음에는 혹하는 마음이 들잖아요. 근데 무엇을 만들어 내기보다
이미 있는 시스템이나 행사 안에서 일하는 느낌이 저랑 맞지
않았어요.

그래서 찾게 된 선택지가 결국 영화였군요

사실 20대 때는 설렘과 막연함이 컸던 것 같아요. 영화를 좋아하는 사람은 너무 많잖아요. 관객을 만나거나 온라인 커뮤니티 반응을 보면 저보다 훨씬 많은 정보를 갖고 있거나 공부한 분이 너무 많아요. 제가 영화를 좋아한다고 한들 제일 좋아하는 사람은 아니거든요. 반대로 얘기하면 제가 1등이 아니고 무엇에 대해 확실한 야망이나 특별한 목표가 없었기 때문에 아무거나 시도할 수 있었던 것 같아요. 그냥 내가 재미있는 거 해보자 싶었어요. 제일 설레는 일은 영화였고요.

창작과 제작이 아닌 수입과 배급이라는 업무에 매력을 느낀 이유가 따로 있을까요?

창작을 할 능력이 없기 때문이에요(웃음). 저는 영어가 능통하니까 통역, 번역 관련 영화제 일을 도와 달라는 지인의 권유가 있었어요. 당시 저는 영화도 좋아하고 칸 영화제 같은 걸 생각만 해도 가슴이 너무 떨리고, 딴 세상, 먼 나라 이야기인 것처럼 느껴져서 굳이 하지 않을 이유는 없겠다고 생각했죠. 막연하게나마 영화제가 화려하고 좋은 것 같고 영화사에 들어가면 또 영화를 제일 먼저 볼 수 있으니까요.

영화 수입사에서 해외 업무를 4년간 맡으셨어요. 회사 업무에 대한
아쉬움도 분명 있었을 것 같아요.

> 지금이야 이렇게 저희 영화를 재밌게 보셨다는 분을 만나면
> 너무 감사하지만 그때는 좋게 말하면 '취향이 너무 앞서간다'
> 나쁘게 얘기하면 '한국 정서랑 안 맞아' 이런 소리를 제일 많이
> 들었어요. 그런 말을 듣는 게 너무 피곤했어요. '어떻게 취향에
> 대해 표준화와 평가를 할 수 있나' 생각이 들었죠. 물론 입 밖에
> 내지는 않았지만요.

당시 수입사가 추구하는 영화 방향이랑 대표님의 철학이 달랐나요?

> 쉽사리 성과를 예측하기 어려운 영화의 도박성을 즐기면서 대박
> 영화의 꿈을 갖는 게 영화사잖아요. 저는 그게 과도한 꿈처럼
> 느껴졌어요. 관객 10만 명을 20만 명으로 만드는 건 환경을
> 좀 열심히 만들고 노력하면 기대할 수 있겠지만 10만 명이 될
> 영화를 100만 명 만들고 싶다면 그건 제가 할 수 있는 영역은
> 아니라고 생각해요. 물론 가끔씩 그런 영화가 나오기도 하지만
> 그 숫자를 목표로 일을 하기에는 확률이 너무 적잖아요. 많은
> 시간을 투입하고 있는데, 좋아하지 않는 일을 하니까 시너지도
> 안 나고 영혼 없이 일하게 되더라고요. 어차피 이렇게 열심히

일할 거면 내가 좋아하는 일을 했으면 좋겠다는 생각이 들었죠. 남을 위해 보이는 일이 아닌 제 것을 한번 해보고 싶었어요. 당시 대기업에서도 많은 오퍼를 받았는데, 되게 건방진 생각일 수도 있지만 그래도 직원일 거라고 생각했어요. 매번 일로 증명해야 되는 직장 생활은 20~30년 해도 끝이 없을 것 같은 느낌이 들었죠. 그리고 20대에 회사를 다니면서 항상 느꼈던 게 아무리 절약을 해도 월급을 받으면 약간 빠듯한 거예요. 어차피 돈 못 버는 거, 차라리 자율성을 갖는 게 낫겠다 싶었어요. 큰 야망이 없어서(웃음). '돈은 못 벌어도 된다. 빚만 안 지면 된다. 근데 이왕이면 내가 좋은 영화를 하고 싶다'라는 생각이었죠.

모든 과정은 설득하는 일

그럼에도 막상 홀로 회사를 운영하는 것에 대한 부담감은 없었나요?

내가 결정하고 내가 책임지면 되니까 그게 제일 매력적이었던 거 같아요. 제가 혼자 창업하면 제가 저를 잘라도 쉬면 되고 공부하면 되고 돈을 덜 벌면 되잖아요. 지금 생각하면 조금 더 빨리 창업을 했어도 좋았겠단 생각도 들어요. 창업을 하면 내가 아니면 일할 사람이 없어서 업무 속도가 정말 빨리 붙거든요. 혼자 하면서 저절로 배우는 거죠. 일반적으로 회사에서 사원이 하는 업무의 종류나 속도가 얼마나 아무것도 아닌지 알게 될 거예요. 또 '이렇게 하지 말아야겠다'를 스스로 깨달을 수 있다는 건 중요한 경험인 것 같아요.

집에 전화, 책상, 20만 원짜리 복합기를 두고 시작하셨다고 들었는데요. 그토록 원하던 창업을 하셨는데 첫 느낌은 어땠나요?

사실 창업이라고 하기엔 너무 아무것도 없는 출발이기도 했고 잘 모르니까 겁 없이 오픈했는데 너무 재밌었어요. 영화 홍보할 때 홍보사에 외주를 주고 보도자료 카피 쓰고 예고편도 만들고 포스터도 만드는데 저는 돈이 없으니까 제가 직접 다 해야 했죠. 보도자료 쓰면서 글쓰기 연습하고 비용과 시간을 줄이려고 예고편 만드는 업체에 퇴근 시간에 파일 들고 가서 옆에 앉아 자막 넣는 것도 같이 의논했어요. 포스터 디자인도 직접 전화하고. 직접 다 해보니 너무 재미있었어요.

같은 종류의 일을 회사 안에서 직원으로도 해보고 한 회사의 대표로도 해보셨는데요. 다른 점이 있을까요?

과거에 '수입을 잘하자' 이렇게 하나만 보였는데 직접 다 해보니까 마케팅과 배급까지 전체적으로 볼 수 있는 시야를 가지게 된 거 같아요. 다시 또 일을 배우는 느낌이 들었죠.

영화를 고르는 오드만의 객관적인 지표나 기준이 있을까요?

진짜 없는 거 같아요. 저는 제가 좋아하는 영화를 봤을 때 혹은 수입하고 싶은 영화를 봤을 때 숫자적으로 이야기할 수 있는 기준이 없어요. 제가 엄청 감성적이거든요. 딱 봤을 때 꽂히는 영화가 첫 번째 기준인 셈이죠.

'좋아하는 일을 하자'라는 대표님의 마인드가 업무 스타일로 드러나는 것 같네요.

수입 영화사 일의 모든 과정은 설득하는 일이거든요. 어떤 영화를 사고 싶다고 세일즈 회사에 이야기하고, 수많은 영화 중 오드가 할 수 있는 걸 어필하고, 한국에서도 그 영화를 봐야 하는 이유를 관객들에게 설득하고, 내부 직원들에게도 이 영화를 왜 개봉해야 하는지 설득하고, 기자들한테도 아무 관심 없는 작은 외화를 기사 내달라고 설득하고, 극장에 영화를 걸어달라고 설득하는 일이에요. 제가 안 좋아하면 할 수 없는 일이에요.

수익성이 고려 대상이 아니라면 예산 편성은 어떻게 이루어지나요?

수익 면에서 '이 영화는 관객이 어느 정도 들겠다' 기대치가 있잖아요. 〈파바로티〉를 개봉했는데 저희 관객 목표가 5만 명이었거든요. 그러면 극장에서 나오는 수익으로 5만 명을 1인 당 4000원 정도로 계산하면 총 2억이에요. 2억 안에서 영화 판권 비용을 제외한 P&A(Print and Advertisement, 홍보마케팅) 비용이 정리가 되어야 해요.

영화 판권은 구매 당시 먼저 책정될 테니 결국 P&A 비용을 줄이는 게 관건이겠군요.

두 가지 방법이 있어요. 먼저 광고비를 줄이는 것이고, 두 번째는 홍보를 잘 하는 거예요. 1억 원의 마케팅 효과를 내야 하는데 광고비로 5000만 원만 쓰고 나머지는 5000만 원 가치 이상 홍보를 잘하자고 계획하는 거죠. P&A를 얼마 덜 써야 BEP(손익분기점)를 맞출 수 있을지는 영화를 산 후에 고민을 많이 하는데 영화 구입 전에는 고민하지 않아요.

영화에 맞는 홍보 방식을 택하기 위해 영화 소비 타깃을 파악하는 게 그만큼 중요하겠네요.

저희가 생각한 타깃이 봐야 하고, 그들이 입소문을 내고 'N차(여러 번 관람하는 것)'를 했을 때 관객이 늘어나는 거지 대중이 관심을 갖는 게 아니에요. 〈파바로티〉의 경우 루치아노 파바로티를 아는 사람은 40대 이상이다 싶어서 20~30대는 포기했어요. 그래서 굿즈 패키지 진행도 안 하고 비싼 극장 광고도 하지 않았죠.

그럼 어떤 방식으로 홍보를 하셨나요?

파바로티의 인간적인 서사는 다 빼고 주로 '세기의 공연'에 초점을 맞춰서 공연에 포커스를 두고 홍보를 했어요. 클래식 업계 유명 잡지 '크레디아'에 광고를 내고 세종문화회관, 예술의 전당, 메가박스 클래식 소사이어티에 광고를 했어요. 신문에도 광고를 냈는데 〈조선일보〉에 처음 광고를 냈더니 몇 년 만에 영화 광고는 처음이었다고 하시더라고요. 클래식에 관심 있는 사람들이라면 무조건 보게 하자는 게 목표였죠.

〈파바로티〉 같은 예술 다큐뿐만 아니라 오드는 대만 청춘 로맨스 장르도
많이 수입하잖아요.

> 〈장난스런 키스〉나 〈나의 소녀시대〉 같은 영화는 타깃이 10대
> 여학생들이었어요. 개봉 날짜 잡을 때 중간고사, 기말고사
> 기간도 고려했어요. 굿즈도 아이돌처럼 포토 카드 만들고, 결국
> 시간이 없어서 못했는데 BTS 아미밤처럼 응원봉도 제작해보고
> 싶었어요(웃음).

저는 오드에서 이 영화를 수입했을 때 조금 뜻밖의 선택이다 싶었어요.

> 사실 20~30대 기존의 다양성 영화 팬들은 싫어했어요. 그렇지만
> 저는 이들까지 보게 하고 싶지는 않았거든요. 10대는 영화의
> 퀄리티보다는 배우와 그 풋풋한 연애의 감정이 중요하니까요.

기업의 측면에서 보면 아예 한 연령대 타깃을 선정해 거기에 맞는
영화를 수입하는 게 효율적이지 않나요?

> 그러면 너무 재미가 없어요. 사실 매번 주제나 타깃이 다른
> 영화를 개봉할 때마다 저도 공부를 많이 하게 되는 거 같아요.
> 20~30대는 N차를 많이 하고 보통 혼자 봐요. 그리고 대부분

예매를 해요. 그래서 예매율이 스코어랑 거의 비슷해요. 반면에 10대와 50대 이상은 친구들과 함께 보고, 현장 예매를 많이 하죠. 시대가 무척 빠르게 변하고 미디어도 영역이 없어지기 때문에 더욱 다양하게 해보고 싶어요.

초고를 쓴다는 느낌으로

대표님은 평소 본인만의 안목을 키우는 방법이 있을까요?

저는 제 안목이 뛰어나다고 생각하지 않아요. 제가 재능이 뛰어나지는 않지만 재능 있는 사람들과 일해보고 싶다는 생각은 늘 해요. 그 사람들과 시너지가 날 때 기쁘고 너무 행복해요. A랑 일할 때는 A′가 되는데 B랑 일할 때는 C가 되기도 하잖아요. 그게 일의 매력이라고 느껴요. 그들과 같이 일하려면 저도 계속 공부를 해야 되잖아요. 팟캐스트 듣고 책 열심히 보고 강연과 전시도 가고 다른 행사 쫓아 다니지만 사실 이런 게 일이라고 생각하면 너무 피곤하거든요.

저는 그래서 그런 노력들을 글 쓰기 전에 초고 쓰는 느낌으로
생각하기로 했어요. 영화는 대부분 스토리가 있으니까
문학적이잖아요. 이 스토리텔링이 어떤 건지 알려면 예술적이고
기본적인 이야기가 중요해요. 화가는 자신의 이야기를
그림으로 표현하고, 팟캐스트 하는 사람들은 정보를 전달하면서
이야기하죠. 사람들은 각자 자기의 경험을 들려주는 거니까 이
모든 것을 일이 아니라 그냥 일반적인 스토리라고 생각하면 그
공부가 즐거운 일이 되는 것 같아요.

〈플로리다 프로젝트〉 개봉 때 직접 쇼룸을 기획하고 영화 굿즈 판매
수익 전액을 미혼모를 위해 기부하셨잖아요. 대표님의 일이 각 영화의
이야기가 더 잘 전달되도록 돕는 일종의 스토리텔러 역할이라고
느껴지네요.

쇼룸의 경우 몇 천만 원이 드는 일이기 때문에 굳이 이걸 안
해도 된다고 생각할 텐데, 저는 조금이라도 이 영화의 스토리를
관객들에게 이야기해주고 싶어서 진행했어요. 영화계에서
쇼룸을 만드는 게 첫 시도이기도 하고, 관객을 극장 밖에서 만날
수도 있고, 우리도 새로운 영역을 경험해 볼 수 있는 기회라고
생각했어요. 이 또한 일이라고 생각하지 않고 그 경계를

"

일이라고 생각하지 않고
그 경계를 버리니까
다양한 방법들이 나오는 것 같아요.

"

버리니까 다양한 방법들이 나오는 것 같아요.

오드를 운영하면서 개인적으로 가장 아쉬웠던 작품이 있을까요?

제가 무척 좋아하는 영화 〈미드 90〉을 최근에 개봉했는데 결과는
별로 좋지 않았어요. 제가 좋았던 포인트는 주인공이 스케이트
보드를 만나면서 세상을 만나는 게 마치 제가 영화와 만나게
된 과정과 너무 비슷하게 느껴졌다는 점이었어요. 이게 어떤
사람에게는 영화일 수도 있고, 어떤 이에게는 운동 혹은 어떤
사람에게는 찾지 못하는 그 무엇일 수도 있죠. 그런 과정들이
너무 작지만 귀여웠어요.

저도 영화 보는 내내 주인공과 같이 꿈을 꾸고 설레는 기분이 들었어요.
특히 스티비가 활주로를 따라 보드를 타고 내려가는 장면을 보면서
일종의 해방감도 느꼈죠. 이 작품이 잘 안 됐다니 팬으로서 너무
아쉽네요.

엄청난 기대를 한 건 아니었지만 결과가 예상에 조금 못
미쳤어요. 그 영화를 구매하기 좀 힘들기도 했고, 개인적으로
그 영화를 구매하고 설렌 게 반 년 이상 지속되었거든요. 어떤
면에서는 저에 대한 반성이기도 하고, 회사에서 내부적으로

준비하는 과정에 현실적인 어려움도 있었어요. 그런데 결국은
제가 책임을 져야 하니까 사기가 떨어지는 거예요. 오랫동안
준비했던 영화를 생각하면 극장도 가기 싫고, 회사 가는 것도
재미없고, 휴가만 가고 싶은 느낌이 들었죠.

**특히나 기대했던 작품인 만큼 상심이 크고 심적으로 많이 힘드셨을 것
같아요. 이 상황을 어떻게 이겨내셨나요?**

비슷한 시기에 봉준호 감독님 인터뷰를 우연히 봤어요. 본인이
영화를 잘 안 찍거나, 못 찍었다고 느꼈을 때 집에 가서 좋아하는
감독의 영화를 계속 반복해서 본다는 인터뷰였어요. 그걸 보고
진짜 놀랐거든요. 이렇게 천재인 분도 긍정적으로 노력을 하는데
지금 내가 이럴 때가 아니고 정신을 차려야겠다 싶었죠.

**작은 회사일수록 그만큼 대표에게 기대되는 역할과 책임이 막중한 것
같아요.**

저희도 운이 좋아서 잘 된 영화도 있고 생각보다 안 된 경우도
있는데, 담당자인 제가 책임을 져야 되는 순간은 안 됐을 때인
것 같아요. 잘 됐을 때야 모두가 행복하니까 계속 좋은 에너지가
넘치는데 잘 안 됐을 때 제가 인상을 쓰고 거기에 갇혀 있으면

같이 일하는 직원들은 더 불편하고 저희가 계속 그 영화에만 머물러 있게 되잖아요. 그럴 때 도망가지 말고 빨리 벗어나야 해요.

제가 카피를 쓰고 메일을 쓰고 홍보를 연습하듯이 긍정적인 생각도 연습이 필요한 것 같아요. 당연히 회사 입장에서 보면 큰 마이너스를 남긴 작품이긴 하지만 저는 그 영화를 개봉한 게 좋았거든요. 한번쯤 이런 영화를 개봉할 수 있어서. 뭐, 어쩔 수 없잖아요. 다음 영화를 더 잘하면 되니까요. 저도 이런 얘기를 하게 되기까지 되게 힘든 시간이었어요.

<부에나 비스타 소셜 클럽>

취미가 일이 되었을 때 오히려 흥미를 잃게 될까 두려워요. 일종의 권태기라고 해야 될까요?

그 표현이 정말 맞는 것 같아요. 권태기. 그럴 때는 꼭 영화가 아니라도 좋은 공연, 좋은 북토크 혹은 궁금한 강연들 아니면 유튜브 강연이라도 일부러 찾아보는 게 좋은 거 같아요. 저는 사기가 떨어졌을 때 종종 영화 GV(관객과의 대화)를 가요. 평론가들의 깊은 이야기 혹은 다른 시각의 해석을 들었을 때 정신이 번쩍 드는 기분이에요. '아, 제대로 해야겠다'는 생각이 많이 들어요. 그냥 직업적으로 영혼 없이 홍보를 진행한 것 같다는 반성이 제 스스로도 들 때가 있거든요.

끊임없이 노력하시는 모습을 보면서 제 자신을 돌아보게 되네요. 저에게도 이 인터뷰가 어쩌면 대표님이 강연이나 GV에서 인사이트를 얻는 것과 같은 맥락일 것 같아요.

사실 지금도 똑같이 작은 회사에, 자본도 없고, 극장도 없고, 우리를 든든하게 지원해 줄 사람도 없어요. 영화사를 운영한다는 건 항상 설득하는 일이고 때로는 매우 좌절스러운 일인데 이걸 좌절이라고 생각하면 영화사를 바로 접어야 된다고 생각해요. 20대 때는 저도 좋아하는 영화를 개봉하는 게 최고인 줄 알고 그게 전부라고 생각했거든요. 그런데 이제는 영화 한 편 개봉하는 것보다 더 크게 바라봤을 때 우리가 할 수 있는 것을 계속 고민하고 실현하는 것이 중요한 것 같아요.

그게 곧 좋은 마케팅인 거죠?

그렇죠. 결국 마케팅을 잘해서 우리 영화를 믿고 볼 수 있는 팬을 만드는 거고, '이 영화를 어떻게 사람들한테 소개를 할까? 어떻게 더 능력 있고, 잘하는 사람들이랑 계속 꾸준히 일할까?'인 거죠. 그게 우리 생존 방법이라는 생각이 들어요. 영화 한 편 잘 되고 안 되고는 모든 영화사들이 다 할 수 있는 일이지만, 모두가 다 안 된다고 반대할 때 뭔가 새로운 걸 기대하는 건 다양성 예술 영화 판의 크기를 넓히는 일이기도 하거든요.

대표님이 걸어오신 길은 영화에 남다른 애정이 없으면 시작조차 할 수 없는 일인데요. 그만큼 일의 의미가 남다르리라 생각됩니다. 대표님께 일이란 어떤 의미를 갖고 있나요?

사실 잘 모르겠어요. 중요한 돈벌이일 수도 있고, 꿈을 성취하는 수단일 수도 있고, 사람을 만날 수 있는 기회이기도 하고, 이를 통해 나를 증명할 수도 있고. 그런데 조금 다르게 생각해보면 만약 이 세상에 일이 존재하지 않는다면 과연 살 수 있을까 생각이 들어요. '일을 과연 나와 분리할 수 있을까?'라는 생각이 드네요.

“

영화 한 편 잘 되고 안 되고는
모든 영화사들이 다 할 수 있는 일이지만,
모두가 다 안 된다고 반대할 때
뭔가 새로운 걸 기대하는 건
다양성 예술 영화 판의 크기를
넓히는 일이기도 하거든요.

”

마지막으로 20대 여성들, 이 책의 독자들에게 전하는 대표님의 조언을 부탁드리고 싶어요. 영화로 질문드리겠습니다. 영화인의 길을 걷고자 하는 이들 혹은 영화 산업에서 일을 시작하는 것에 대한 진로 고민을 하고 있을 20대 여성에게 추천하고 싶은 영화는 무엇인가요?

제가 20대라고 했을 때 봤으면 좋겠다 싶은 영화는 〈부에나 비스타 소셜 클럽〉이에요. 이 영화를 처음 봤을 때 '아무것도 아닌 할아버지들이 무슨 영화를 만들어'라는 생각이 들었고 그런 제가 부끄러웠거든요. 그들이 한때는 음악을 하다가 여러 가지 이유로 꿈을 포기하고 오랫동안 살았는데 다시 또 밴드 음악을 해요. 이 영화를 보기 전에는 그들이 포기했던 시간이 어떤 의미인지 몰랐어요.

사실 20대에게 추천하는 영화인 만큼 〈미드 90〉처럼 성장 키워드의 영화 혹은 꿈을 쫓는 서사의 영화를 추천해주실 줄 알았는데 뜻밖이네요.

20대는 사실 편견이 많은 시기라고 생각해요. 사춘기만큼이나 다 열심히 하려 하고 한계도 많이 느끼는 시기잖아요. 그만큼 취향이 무척 분명한 시기이기도 하고요. 좋아하는 것에 엄청 흥분하고 싫어하는 건 조금 더 멀리하고 싶은 나이. 저는 워낙 또 취향이 강하다 보니 20대 때는 나랑 취향이 안 맞는 사람들이랑 일하기 싫고 말하기 싫어했어요. 근데 지금 지나고 보면 그게 별로 중요하지 않은 거였더라고요. 이 영화를 보면서 내가 남을 평가했던 기준 혹은 나의 가치관이 겪어 보지 못한 사람은 차마 생각도 할 수 없는 것이구나 싶었어요.

오드는 올해 새로운 프로젝트를 앞두고 있다. 바로 영화 팬들을 위한 작은 공간을 마련하는 것이다. 김시내 대표는 오드 수입작들의 단독 굿즈를 전시·판매하고, 사람들이 자유롭게 즐길 수 있도록 카페와 스크리닝 룸을 겸비한 공간을 기획했다고 한다.

영화사로서 전례 없는 이 프로젝트에 대해 김시내 대표는 '과감하게 해보려고요'라는 말과 함께 걱정보다는 기대감을 드러냈다. 얼굴에 설렘과 열정이 가득해 보였다. 진정으로 가슴 뛰는 일을 쫓아 한계를 넘어서 끊임없이 도전하는 모습이 단단하게 느껴졌고, 일에 대한 순수한 열정을 닮고 싶었다.

인터뷰를 마치고 집에 돌아와 〈부에나 비스타 소셜 클럽〉을 보며 '편견'에 대한 김시내 대표의 조언을 곱씹어 보았다. 지금까지 내게는 타인을 향한 편견뿐만 아니라, 나 스스로를 향한 편견이 많다는 것을 깨달았다. 내가 만들어낸 편견과 한계 속에서 머물고 나아가기를 두려워하기보다, 현실적인 해결책과 실질적인 목표를 찾아 노력하는 김시내 대표처럼 나를 진정으로 설레게 하는 일과 꿈을 찾아 도전하리라 다짐했다.

더 많은 레퍼런스를 기대하며

북 디자이너 정선은

〈롤모델보다 레퍼런스〉 제목을 들었을 때, 처음 떠오른 이미지는
'문'이었다. 답답하고 막연했던 닫힌 벽은 세상으로 연결되는 문이 된다.
벽이라는 제한과 경계를 새로운 변수로 치환하여 상상하는 저자들.
이들의 고민과 도전, 호기심 어린 두드림과 담대한 내딛음이 직조해내는
새로운 가능성을 담고 싶었다. 문 너머에 무엇이 있을지는 모르지만,
가능태로 존재하는 미래를 앞당겨 실행으로 옮기는 용기를 환영하는
빛깔을 담아주고 싶었다.

20대 여성 인터뷰어들은 인생의 선배에게 어떤 질문을 쏟아낼까?
디자이너로 함께 참여하며 문을 열어보니 이들이 발견한 '길'이 보였다.

'롤모델'이 한 방향으로 향하는 단 하나의 길을 상정한다면, '레퍼런스'는 여러 갈래로 뻗어져 나가는 다양한 길로 열려 있는 가능성을 상상하게 한다. 그래서 이 책의 커버는 벽에서 시작해 '문'과 '길'로 채워져 있다.

레퍼런스 1, 2, 3권 책 표지에 그려진 6명의 저자 캐릭터는 각각 문을 열어젖히기도 하고, 꽤 높은 문지방을 성큼 넘어보기도, 가방을 매고 길을 나서기도 하며, 잠시 앉아 고민하며 생각을 정리하기도 한다. 움직임과 기다림, 진행과 멈춤, 고민과 결단이 교차되고 또 이어진다. 이렇게 책이 나오기 전에 나는 6명의 저자를 일러스트레이션으로 먼저 만났다. 이제는 캐릭터만 보아도 선명하게 그들이 떠오른다.

그 중 디자인을 전공하지 않았지만, 이 책에 일러스트레이터로 참여한 백선호 님이 기억에 남는다. 첫 디자인 미팅을 마치고 함께 하자고 제안 했을 때, 그는 기대감에 반짝이는 눈빛을 보여 주면서도 불안해 했다. 충분한 재능이 있었음에도 주어진 기회를 벽처럼 생각해 한참을 주저하기도 했지만, 결국엔 기회의 문을 열고 자신의 가능성을 확인한 선호 님이 신기하고 고마웠다.

벽이 문이 되기까지 그의 옆에서 함께 그 시간에 머무르는 진저티 편집팀의 모습 또한 당시 소통과 관계의 매너리즘에 빠져있던 나에게 새로운 레퍼런스를 주었다. 그저 좋은 결과물이 일의 전부가 아니라, 함께하는 과정에서의 배움과 의미가 오히려 일 본연의 가치로 반짝일 수 있다는 것.

이들과 함께 주문을 외워보자. 더는 앞으로 나갈 수 없는 벽처럼 보였지만, 막상 밀어보니 문이어서 새로운 세계를 향해 길이 열릴 수도 있다. 삶이란 저 멀리 하나의 깃발을 향해 달려가는 경주가 아니라 '길'을 따라 나서는 여행이라는 것을 기억한다면 앞으로 어떤 길을 가더라도 괜찮지 않을까. 길이 막혔다면 되돌아와서 또 다른 문을 찾아 열면 되니까. 우리가 걸어가는 그 걸음이 곧 길이 될 테고 그 길 자체가 또 하나의 '레퍼런스'가 되어줄 테니까 말이다.

이들의 이야기를 가만히 듣다보면 내가 두드렸던 문과 걸어온 길이 중첩되어 떠오른다. 내 마음과 마주 울리는 교차로 어디쯤에선가 어느새 좀 더 자유롭게, 나답게 걸음을 옮겨도 되겠구나 싶어진다.

여리지만 분명하게 반짝이는 그 순간들을 이 책을 만난 당신도 발견하고 환영하고 누리기를 기대한다.

롤모델보다 레퍼런스
레퍼런스2 좋아하는 것이 일이 될 수 있나요?

인쇄일　2020년 10월 9일
초판 발행　2020년 10월 15일

지은이　이시은 백선호
기획　전혜영
편집　안지혜
교정 · 교열　홍현진
디자인　정선은
일러스트　백선호

펴낸곳　(주)진저티프로젝트
주소　서울시 마포구 양화로 12길 8-5 2층

ISBN 979-11-966047-3-8
ISBN 979-11-966047-1-4 (전 3권 세트)

* 책값은 뒷면 표지에 적혀 있습니다.
* 잘못 만든 책은 구입하신 서점에서 바꾸어 드립니다.

이 도서의 국립중앙도서관 출판예정도서목록(CIP)은 서지정보유통지원시스템 홈페이지
(http://seoji.nl.go.kr)와 국가자료공동목록시스템(http://www.nl.go.kr/kolisnet)에서
이용하실 수 있습니다.(CIP제어번호: CIP2012033047)